Bead Embroidery Stitch Samplers 130
ビーズがかわいい刺繍ステッチ
CRK DESIGN.YASUKO ENDO

Bead Embroidery Stitch Samplers 130

ビーズがかわいい刺繍ステッチ

contents

BASIC LESSON

- 6 素材と道具のおはなし
- 8 刺繍のきほん
- 13 **BEGINERS LESSON** Customize T-shirt
- 14 ビーズの刺繍ステッチ、はじめましょう
- 16 ランニングステッチ with Beads
  stitch design 1〜6

LESSON-1

- 20 ストレートステッチ with Beads
  stitch design 7〜13
- 22 バック／ペキニーズステッチ with Beads
  stitch design 14〜20
- 24 アウトライン／ホルベインステッチ with Beads
  stitch design 21〜27
- 26 ブランケット／ボタンホールステッチ with Beads
  stitch design 28〜34

MATERIALS & TOOLS

刺繍糸・布提供：ディー・エム・シー株式会社　〒101-0035 東京都千代田区神田紺屋町13番地山東ビル7F　TEL.03-5296-7831（代）http://www.dmc.com

ビーズ提供：トーホー株式会社　本社〒733-0003 広島県広島市西区三篠町2丁目19-6　TEL.082-237-5151（代）http://www.toho-beads.co.jp/

用具提供：クロバー株式会社　〒537-0025 大阪市東成区中道 3-15-5　TEL.06-6978-2277（お客様係）http://www.clover.co.jp/

LESSON-2

- 30 レゼーデイジーステッチ with Beads
  stitch design 35 ～ 41
- 32 チェーンステッチ with Beads
  stitch design 42 ～ 48
- 34 クロスステッチ with Beads
  stitch design 49 ～ 55
- 36 シェブロン／ヘリンボーンステッチ with Beads
  stitch design 56 ～ 62
- 38 ファーン／フライステッチ with Beads
  stitch design 63 ～ 69
- 40 コーチングステッチ with Beads
  stitch design 70 ～ 76
- 42 オープンクレタンステッチ with Beads
  stitch design 77 ～ 83
- 44 ジグザグステッチ with Beads
  stitch design 84 ～ 90
- 46 フェザーステッチ with Beads
  stitch design 91 ～ 97

LESSON-3

- 50 レース模様のステッチ with Beads
  stitch design 98 ～ 111
- 54 縁飾りのステッチ with Beads
  stitch design 112 ～ 118
- 56 フィリングステッチ with Beads
  stitch design 119 ～ 124
- 58 ワンポイントモチーフ with Beads
  stitch design 125 ～ 130

DESIGN CHART

- 60 アルファベット A to Z with Beads
- 62 北欧モチーフ with Beads

LESSON NOTE

- 65 How to Stitch with Beads
  針と糸とビーズの組み合わせ
- 86 Point！お手入れするときは…
- 88 ステッチに使用した糸とビーズの一覧

STAFF

ステッチデザイン＆作品制作：遠藤安子（C・R・Kdesign）　アルファベットデザイン：江本薫（C・R・Kdesign）
作品制作協力：西田碧　石井せつ子　野木高子　小川洋子
撮影：大滝吉春（studio seek）　プロセス撮影：荒木宣景（studio seek）
スタイリング：C・R・Kdesign　モデル：湊真澄　撮影協力：AWABEES
レッスンノート編集＆イラスト：今村クマ（C・R・Kdesign）　編集協力＆イラスト：梶山智子
企画・制作・編集・ブックデザイン：C・R・Kdesign（北谷千顕　遠藤安子　今村クマ）
担当：山本尚子（グラフィック社）

MATERIALS & TOOLS
BASIC of Bead Embroidery Stitch
BEGINNERS LESSON Customize T-shirt
Running Stitches with Beads

BASIC LESSON

左ページのリネンのシャツ：衿〈stitch design51〉DMC8番 ECRU（生成）・B5200（白）／丸大ビーズ 122（ミルク色）、前立て〈stitch design52〉DMC8番 ECRU（生成）／丸大ビーズ 122（ミルク色）、袖〈stitch design56〉DMC8番 ECRU（生成）／丸大ビーズ 122（ミルク色）、キャミソール：衿ぐり〈stitch design52〉DMC8番 ECRU（生成）／丸大ビーズ122（ミルク色）、胸〈stitch designP.60〉DMC25番 739（ベージュ・3本どり）／丸大ビーズ 557（金）

ラフィアの帽子：〈stitch design32〉DMC25番 3864（ベージュ・2本どり）／丸小ビーズ 173（黄）、一分竹ビーズ 7（緑）、二分竹ビーズ 111（濃黄）、〈stitch design78〉DMC25番 3863（小麦色・4本どり）／丸大ビーズ 174（オレンジ色）、105（黄緑）

ジャム瓶のリボン：左〈stitch design65・63〉DMC25番 841（ベージュ）／丸大ビーズ 105（黄緑）、174（オレンジ色）、332（赤紫）、402（黄）、405（赤）、丸小ビーズ 105（黄緑）、中〈stitch design 89〉DMC25番 841（ベージュ）／丸小ビーズ 105（黄緑）、332（赤紫）、111（濃黄）、402（黄）、405（赤）、右〈stitch design64〉DMC25番 3347（緑）／丸小ビーズ 332（赤紫）、405（赤）
※糸はすべて4本どり

素材と道具のおはなし

MATERIALS

Beads ビーズ・スパングル

丸大ビーズ　丸小ビーズ

竹ビーズ（一分・二分）

マガ玉ビーズ

パール

スパングル

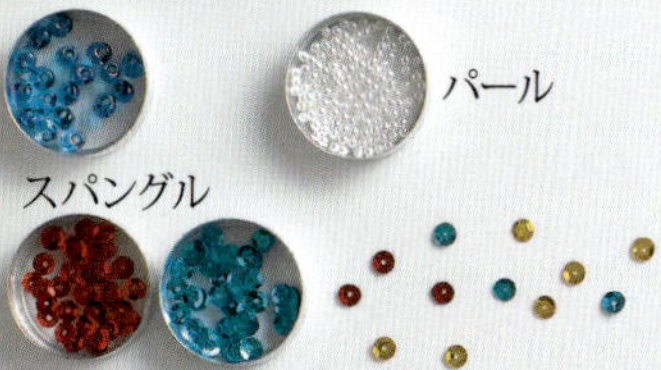

TOHO Beads トーホービーズ

ひと粒ずつの形状が整っている最高品質のガラスビーズ。特長である少し大きめの穴は、刺しゅう針も通りやすく、いろいろな素材の糸とも相性がぴったり。ビーズやスパングルの豊かな表情とステッチで、リメイクも楽しめます。

光沢のあるやや太めのコットン糸。色数が豊富。

8番刺繍糸

12番刺繍糸

光沢のある細めのコットン糸。

DMC 25番刺繍糸

DMCの25番糸は、品質が高く、465色の繊細なカラーバリエーションが最も魅力的。洗っても色落ちしにくく、耐久性もあるので、仕上がり時の美しさを保ちます。6本撚りの糸は作品に合わせて本数を増減して使います。

Threads 糸

25番刺繍糸

5番刺繍糸
カセになった太めのコットン糸。

アップルトンクルーエルウール
ふっくらした仕上がりの刺繍用ウール糸。ペールトーンからビビッドカラーまで、豊富な色数が魅力です。

麻糸
ナチュラルな風合いのリネン糸。

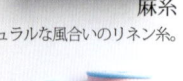

ミシン糸 #60
スパングルを刺すときに、2本どりにして使います。

Fabrics 布

DMC ニードルワークファブリック

上質の刺繍用のリネン。28カウントと32カウントがあります。

DMCプリンテッド ニードルワークファブリック

14カウントのボーダープリント。ピンク×白とブルー×白。

TOOLS

Needles 針

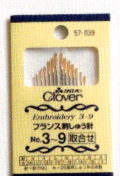

Clover フランス刺しゅう針
ビーズの刺繍ステッチにおすすめの針。針先が尖っていて布通りがスムーズです。糸の太さや本数で使い分けができるので、"取合わせ"を1組持っていると便利。ビーズや刺繍糸との対応表はP.65に掲載。

刺繍用仮どめ接着芯
ニットやカットソーなど、伸縮性のある布に刺繍するときに。裏面にアイロンで仮どめすると、布が安定して刺しやすくなります。

刺しゅう針 先丸タイプ
丸小ビーズが通る"細取合せ"と、太めの糸が通る"太取合せ"。針先が丸いので糸割れしにくく、頭部（穴部分）が細いので、ビーズがスムーズに通ります。

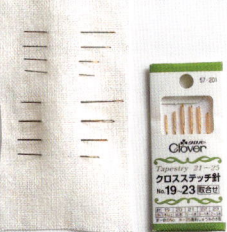

はさみ
細かい部分がカットできる、刃先の細い小さめのはさみがおすすめです。

フープ
布をピンと張って刺すための刺繍枠。図案に合わせて移動しながら刺し進みます。

ビーズ刺しゅう針
繊細なビーズ刺繍用の針。ミシン糸でスパングルをとめたり、丸小ビーズを縫いつける際に使います。

クロスステッチ針
クロスステッチ用の先が丸い針。布をすくうときに、織り糸や刺繍糸を割りにくくします。

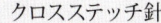

方眼定規
布の色によって使い分けられる2色の定規。しなやかなので、カーブ部分を測ったり、印をつけるときに便利です。

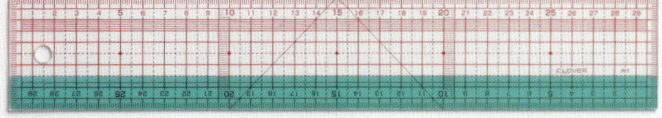

トレーサー
細かい図案を写すときに、チャコピーとセットで使います。インクの出ないボールペンでも代用可。

チャコペル
濃い色の布に印をつけるときにも便利な、ペンシルタイプのチャコ。付属のブラシで簡単に消えます。

スタンプ
DMCオリジナルアルファベットスタンプ。布用インクで模様代わりにスタンプしてビーズを縫いとめたり、消えるインクでスタンプして図案代わりにしたり。

抜きキャンバス
目が数えられない布にカウントステッチをしたいときに。ステッチした後、霧吹きで湿らせて抜き取ります。

チャコピー（片面）
図案を写すときに。転写面を布にあて、図案とセロファンを重ねてトレーサーやインクのでないボールペンでなぞります。

水性チャコペン（消しペン付き）
しっかり印がつけられて、水で消える、便利なチャコペン。付属の消しペンを使えば、消したい所をピンポイントで素早く消せます。

刺繡のきほん はじめる前に…

Threads　糸の扱い方 …はじめる前に、よく手を洗っておきましょう。

25番刺繍糸
6本の細い糸がより合わさった刺繍糸。"○本どり"とは、この細い糸の本数を表し、引き揃えて使用します。

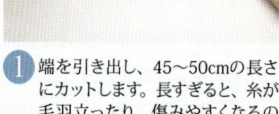
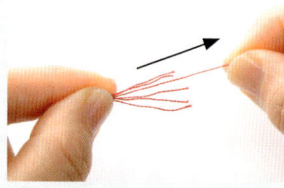

① 端を引き出し、45〜50cmの長さにカットします。長すぎると、糸が毛羽立ったり、傷みやすくなるので注意しましょう。

② 6本の束から、1本ずつ引き抜きます。6本どりの場合もそのまま使用せず、1本ずつ引き抜いてから再び揃えます。

③ 使用する本数を引き抜いたら、糸端を揃え直します。

クルーエルウール
ウール刺繍糸も25番刺繍糸と同様に針に通しますが、通しづらい場合は、スレダーやミシン糸をガイドにして通します。

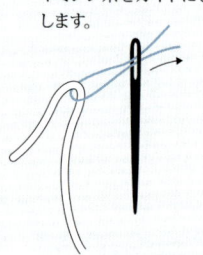

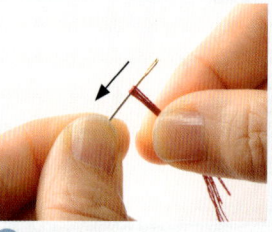

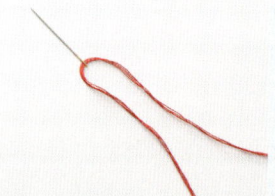

④ 糸端を針にあてて折り、指でしっかり押さえて、矢印の方向に針を抜きます。

⑤ 糸の折り山を針穴に押し入れます。

⑥ 糸の片端を、針穴から引き抜き、10cmほど出します。

5番刺繍糸
1本の長い糸を輪に巻いてカセにしたもの。あらかじめ、使いやすい長さにカットしておきます。

色番号がついたラベル

① ラベルをはずして、カセのよりをほぐします。

② 輪になった糸をまとめた結び目の部分をカットします。

③ ラベルを通してまとめ、ゆるく三つ編みにします。折り山の部分から1本ずつ引き抜いて使用します。

Beads　ビーズの扱い方 …バラになってパックされているビーズと、糸に通ったビーズ。用途に合わせて使います。

バラビーズ

種類ごとに小皿などに分けておき、1粒ずつ針ですくいます。

糸通しビーズ

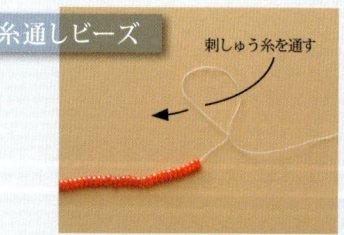
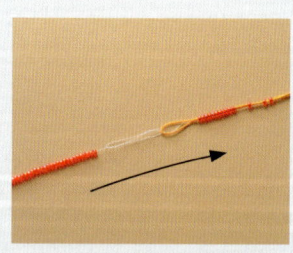

刺しゅう糸を通す

コーチングステッチなど、あらかじめ糸にたくさんのビーズを通しておく場合に便利な方法。ビーズが通った糸の端に、ほどける糸輪を作り、刺しゅう糸の端を10cmほど入れます。

ビーズをスライドさせて、刺しゅう糸に移します。糸がはずれてビーズが飛び散らないように、静かにスライドさせましょう。

Mark & Trace　印のつけ方…パターンの種類や刺しゅうする布によってつけ方や使うツールが違ってきます。

線や点で印をつける

ステッチの幅や間隔の目安として、線や点でガイドをラインを引きます。

水性チャコペン
コットンやリネンなど普通の布に。水や付属の消しペンで素早く消せます。

チャコペンシル
色の濃い布にもつけやすく、指ではじいたり、付属のブラシで消せます。

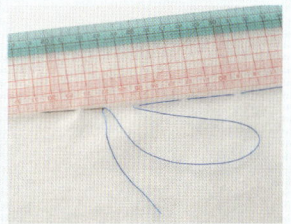

糸印
ウールやニット地など、チャコペンなどがのらない布は、ミシン糸などで縫って印をつけます。

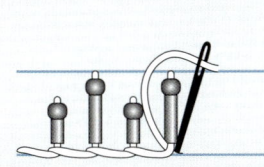

ステッチの幅をきっちり揃えたい場合は、実線で。

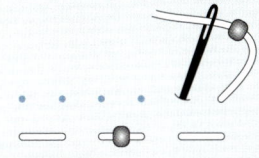

間隔を揃えたい場合は、針を入れる位置に点を打ちます。

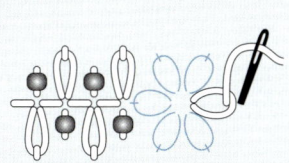

ステッチの形を揃えたい場合は、図案の通りに写します。

図案を写す

ステッチの形をしっかり写したい場合は、チャコピー（片面）を使います。ピンやテープでしっかり固定して写しましょう。

① トレーシングペーパーなどの薄い紙に図案を写しとります。

② 布にチャコピーの転写面をあて、その上に図案重ねます。さらに滑りをよくするためにセロファンを重ね、トレーサーでなぞります。

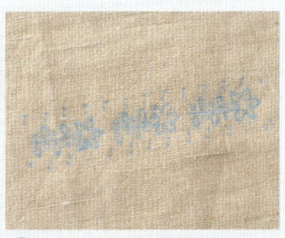

③ 図案を写し終えました。花びらなどは形全体を写し、規則的な連続模様などは布をすくうポイントの印をつけます。

Hoop　フープ（刺しゅう枠）の使い方…小さな図案や張りのある布にさす場合は、指先で布をピンと張れば大丈夫。

フープをはめる

薄手の張りのない布や、布目を数えながら刺すクロスステッチなどをするときは、フープをはめると刺しやすくなります。

① 刺しゅう布を保護し、ずれにくくするために、バイアスにカットした布を内枠に巻きつけます。

② 内枠に刺しゅう布をのせて外枠をはめ、ネジを締めます。ビーズが枠にかかる場合、別布をかぶせ、外枠を緩めにはめます。

③ 布目に沿って均等に布を引っ張り、刺しやすい状態に張ります。布目が歪まないように注意しましょう。

★図案はP.60掲載

刺繍のきほん　クロスステッチの刺し方

規則正しく×の形になるように、布の目を数えて刺します。
美しい仕上がりになるように、
上になる糸が常に同じ方向を向くようにします。

図案の見方

■はステッチの×、●はビーズを入れる位置を示しています。織り糸をすくう本数で、ステッチの大きさが変わります。

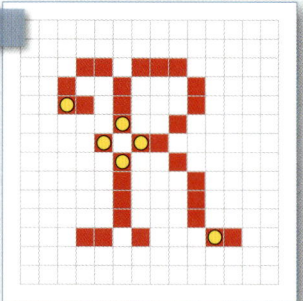

How to Stitch
クロスステッチの刺し方

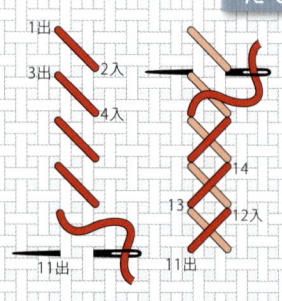

たてに続けて刺す

一方向を先に続けて刺し、戻りながら×を仕上げます。ステッチが続いていたり、面を刺し埋める場合に効率的な刺し方です。

一目ずつ刺す

一つずつ×を仕上げていきます。

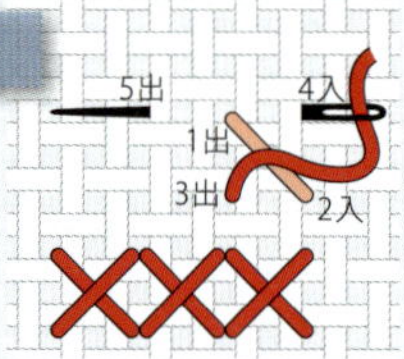

R を刺してみましょう

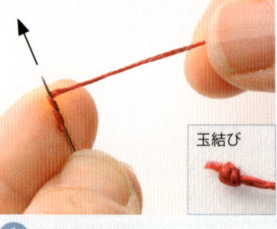

① 糸端を針で押さえ、糸を2〜3回巻いて針を上に引き抜きます。

玉結び

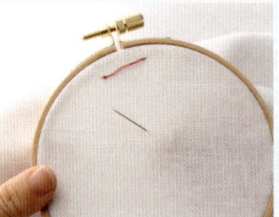

② 少し離れたところから針を入れ、刺し始めの位置に針を出します。

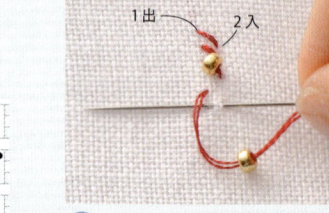

③ たてに一方向に続けて刺していきます。ビーズを入れる部分は針を出した後にビーズをすくいます。

④ 戻りながら を仕上げます。ビーズ部分は下欄のPointを参照して刺しましょう。

Point
ビーズを固定する

ビーズが傾かず、安定した向きに固定できます。

1 ビーズを入れて下になる半目を刺します。

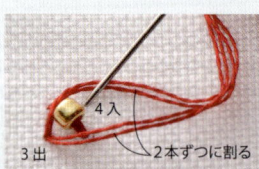

2 ビーズを中心に糸を半分に割り、上になる半目を刺します。

2本ずつに割る

3 ビーズの両脇がしっかり固定されます。

Stamp
クロスステッチスタンプ

図案代わりにポンッ！とスタンプすれば、目の数えにくい布にもクロスステッチができます。

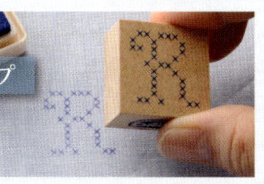
1 糸と同系色の布用インクか、消えるインクでスタンプします。

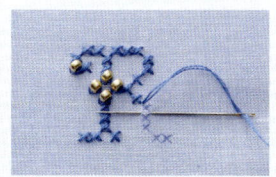
2 ×と×の間を目安に、布をすくいます。

スタンプを生かし、ビーズのみをトッピングしても…。

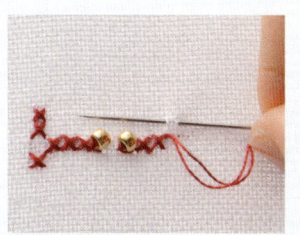
5 刺しやすい向きに布を回転させて進みます。

6 中央のビーズを入れながら左から右へ、よこに進みます。

7 左に戻って目を完成させます。

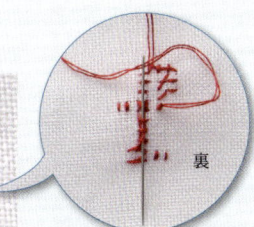
裏

残り糸が7〜8cmくらいになったら、裏で玉どめして糸端をステッチの糸に絡ませて始末します。

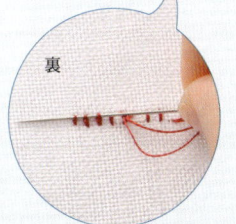
裏

離れたところに続く場合は、裏でステッチにくぐらせて移動します。

8 文字の右側を刺していきます。

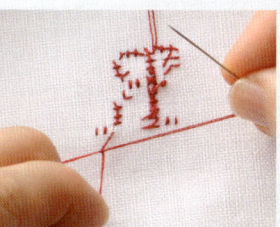
9 刺し終わったら、裏で玉どめをします。目の粗い布の場合は、裏に渡る糸に結びましょう。

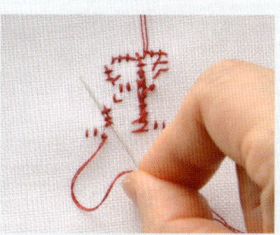
10 糸端をステッチに絡め、余分な糸をカットします。

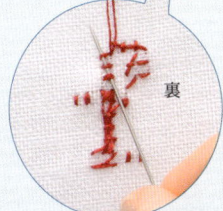
裏

新しい糸で刺し始める場合は、裏に渡る糸に絡めてから表に糸を出します。

でき上がり

表　裏

刺し始めに残しておいた糸は、玉結びをカットして裏に引き出します。ステッチの糸に結び、糸端を絡めて始末します。

刺繍のきほん 知っていると、もっと楽しくなるポイント

Technic 1　どんな布にもカウントステッチ … 目の数えにくい布にも規則的にステッチできます。

抜きキャンバス

仮どめするだけで、数えやすい布に早変わり。ステッチした後に糸を引き抜きます。目の大きさはいろいろあるので、図案や糸の太さで選びましょう。
★クロスステッチ、ホルベインステッチ、ヘリンボーンステッチ、ジグザグステッチなどに便利。

1 刺したい図案よりひと回り大きめに抜きキャンバスをカットし、布に仮縫いでとめます。

2 クロスステッチをします。後で糸を抜くので、少しきつめに糸を引いて刺しましょう。

3 刺し終えたところ。

4 全体に霧吹きをかけて湿らせ、抜きキャンバスの糊をゆるめます。

5 1本ずつ抜きキャンバスの織り糸を抜き取ります。

6 でき上がり。

Technic 2　ニットやカットソーに刺すときは … やわらかい伸縮性のある布には、接着芯や和紙をあてて刺します。

接着芯を張る

伸縮する布がのびないように、低温のアイロンで仮どめて刺しやすくする接着芯。和紙を仮縫いでとめてもOKです。

1 図案よりひと回り大きめにカットした刺しゅう用の接着芯を、低温のアイロンで仮どめします。

2 ステッチをした後、丁寧に接着芯をちぎって取り除きます。糸を引っ張らないように注意！

3 でき上がり。糸がたるまず、つれずに仕上がります。

Technic 3　糸が短くなったら … 模様が途切れないように、新しい糸でつづけます。

途中で糸をつなぐ

チェーンステッチ、フライステッチ、ボタンホールステッチなど、針に糸をかけながら進むステッチは、模様をつなげながら新しい糸で刺し進めます。

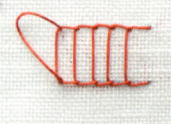
1 最後の目をゆるめに刺し、裏はとめずにおいておきます。

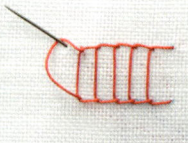
2 針に新しい糸を通して布から出し、前の目の糸を針にかけます。

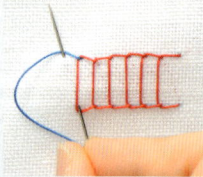
3 次の目を刺し、裏で糸を引いて目を整え、糸を始末します。

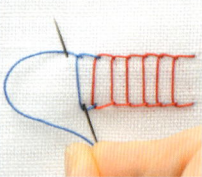
4 新しい糸でそのまま模様を続けて刺していきます。

BEGINNERS LESSON
Customize T-shirt

刺繍ステッチにビーズを通すだけで、立体的な表情のある刺繍の表現ができます。
Tシャツにちくちくかんたんにカスタマイズを楽しみましょう。

ボーダーTシャツ：衿ぐり〈stitch design 2〉
DMC5番 552（紫）／丸大ビーズ 23（水色）・
402（黄）、胸〈stitch design 6〉DMC5番 517（青）
／丸大ビーズ 264（青緑）・402（黄）
杢グレーのTシャツ：P.14参照

ビーズの刺繍ステッチ、はじめましょう

シンプルなTシャツをビーズと刺繍糸で自由にカスタマイズ。
糸やビーズの組み合わせで、自分らしいカラーを楽しみましょう。

用意するもの
- Tシャツ
- 刺繍糸…DMC 5番刺繍糸 517（青）・321（赤）・552（紫）
- ビーズ…TOHO 丸大ビーズ 23（水色）・405（赤）・402（黄）・264（青緑）
- 針…クロバー 刺しゅう針先丸タイプ（0.84mm）
- 水性チャコペン（消しペン付き）、定規、はさみ

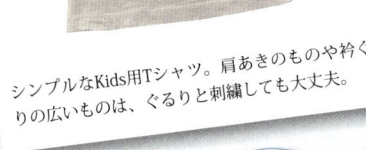

シンプルなKids用Tシャツ。肩あきのものや衿ぐりの広いものは、ぐるりと刺繍しても大丈夫。

印のつけ方

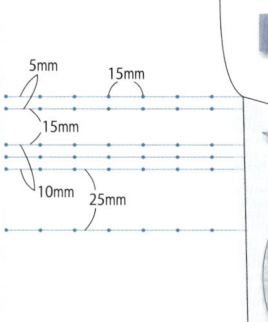

1 左図を参考に、衿ぐりと胸に1.5cm間隔で印（点）をつけます。胸は脇下を基点にします。

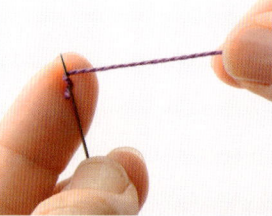

2 刺繍糸を針に通し、玉結びをします（P.10参照）。針に巻く回数で玉結びの大きさが変わります。

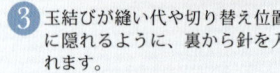
衿ぐり

3 玉結びが縫い代や切り替え位置に隠れるように、裏から針を入れます。

4 表の刺し始めの位置に針を出します。

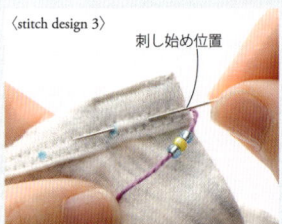

〈stitch design 3〉
刺し始め位置

5 ビーズ3粒を糸に通し、印と印の中間に針を入れて次の印に針を出します。これを繰り返します。

6 反対側の肩まで刺したら裏に針を出し、縫い代を1〜2針縫って玉どめします。

7 衿ぐりのステッチのでき上がり。

My motif
自分印をつけましょう

お名前代わりに、小さなビーズのさくらんぼ。小さな子どもたちも喜ぶ、かわいい自分の"しるし"です。

用意するもの
- 刺繍糸…DMC 5番刺繍糸 164（若草色）
- ビーズ…TOHO マガ玉ビーズ 4mmM25（赤）
- 針…クロバー 刺しゅう針先丸タイプ（0.84mm）

実物大図案
- 葉っぱは形の参考になるように線で描きます。
- 茎は針を入れる位置を点で描きます。

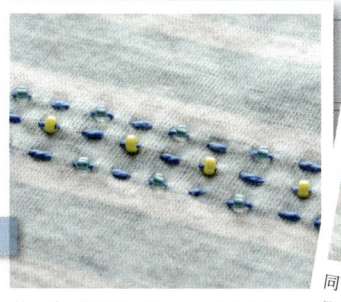

柄を生かして

ボーダーやチェックなどの柄は、規則的なステッチをする場合の目安になります。

ボーダーを印代わりに、上下のステッチをしてから、中央を刺します。

同じ組み合わせでも、ビーズの入れ方やステッチの間隔を変えるといくつもの表情が。

胸

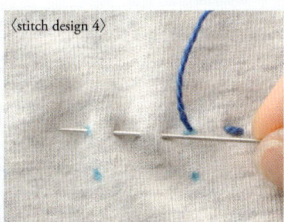

⑧ 胸のステッチは、脇の縫い代を1〜2針縫ってから刺し始めの位置に針を出します。

⑨ 上の模様は、針目を揃えてランニングステッチを2列刺し、反対側の脇の縫い代で玉どめします。

でき上がり

〈stitch design 3〉
糸 552（紫）／ビーズ 23（水色）・402（黄）

〈stitch design 4〉
糸 517（青）・321（赤）／ビーズ 405（赤）

〈stitch design 5〉
糸 321（赤）／ビーズ 264（青緑）

〈stitch design 1〉
糸 552（紫）／ビーズ 23（水色）・402（黄）

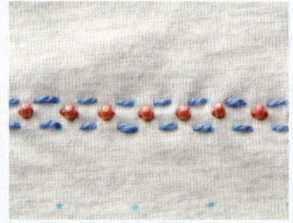

⑩ 2本のステッチの間に、ビーズを1粒ずつ入れながら、針目をずらしてランニングステッチをします。

⑪ 上の模様ができました。

⑫ 2つめの模様は、針目を揃えてランニングステッチを3列刺します。ビーズは1針おきに。

⑬ 下の模様も、1針おきにビーズを入れてランニングステッチ。黄と水色のビーズを交互に入れます。

Tシャツなど、伸縮する生地に刺す場合は、糸がたるんだり、つれたりするので、玉どめする前に適度に伸ばして調整しましょう。

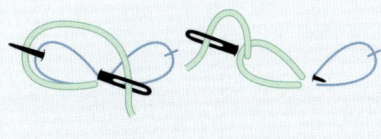

でき上がり

1 レゼーデイジーステッチで葉っぱを刺します。右側の葉っぱも同様に刺します。

2 葉っぱの根元から針を出し、ストレートステッチで茎を刺し、少し先に針を出します。

3 マガ玉ビーズを通して、少し戻るように茎の横に針を入れます。右側も同様に刺します。

BASIC LESSON
Running Stitches
with Beads

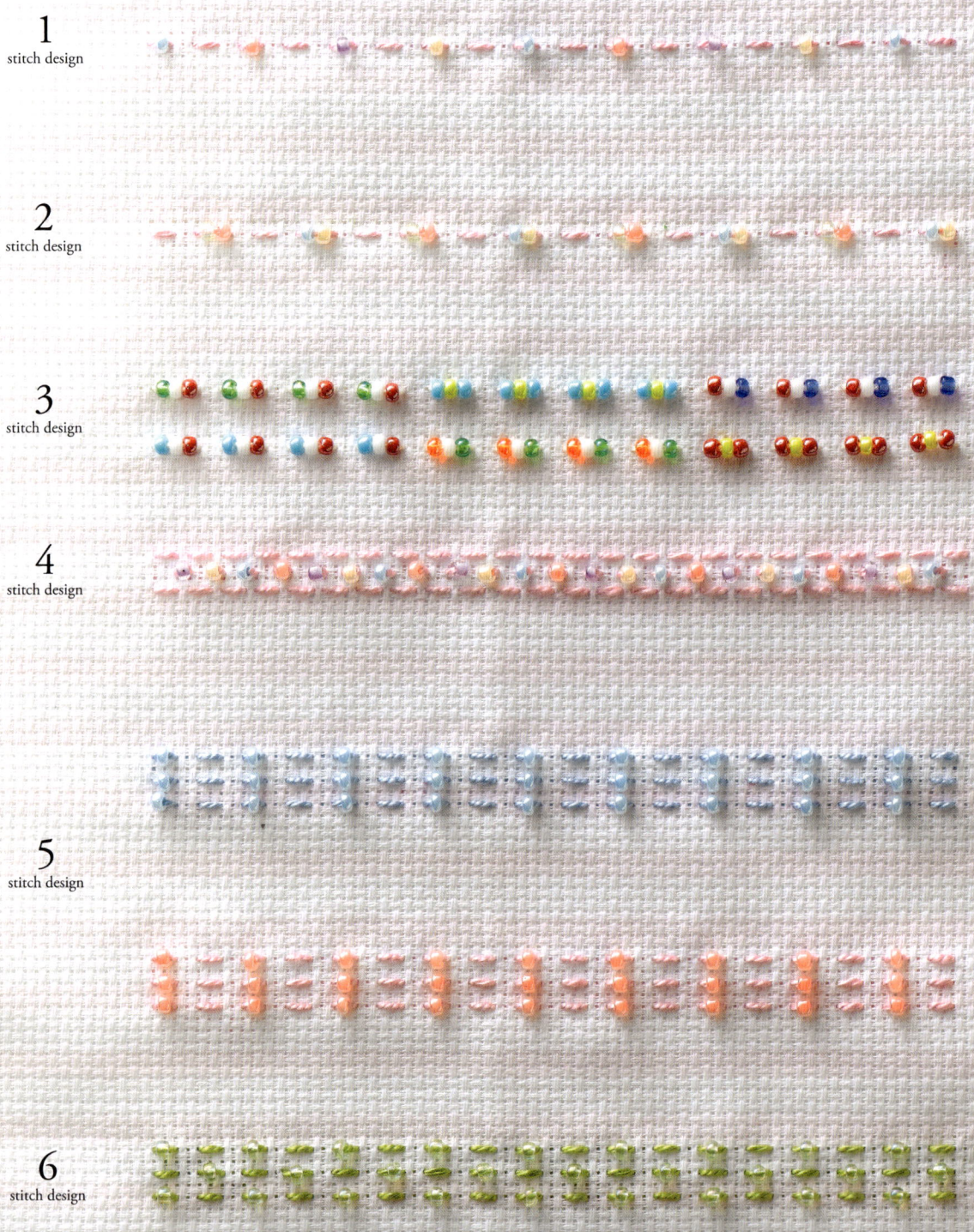

1 stitch design

2 stitch design

3 stitch design

4 stitch design

5 stitch design

6 stitch design

ランニングステッチにビーズを通して…

> **Running Stitch**
> ランニングステッチ
>
> 布の表裏交互に針目を出しながら、一度に2〜3針ずつリズミカルに刺していきます。最も基本的なステッチで、手縫いではぐし縫い・並縫いといいます。

1 ビーズ1粒を1針おきに通して。多色使いにするときは、トーンをそろえて

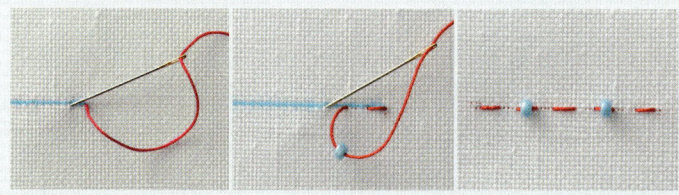
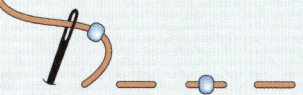

2 ビーズ2粒を1針おきに通して。色の組み合わせでいろいろな雰囲気が楽しめます

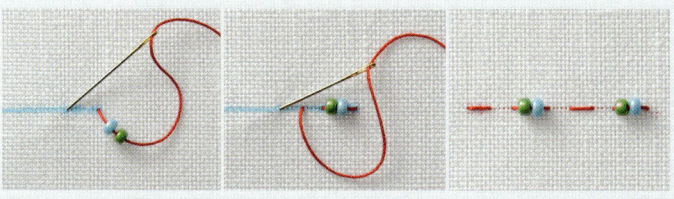

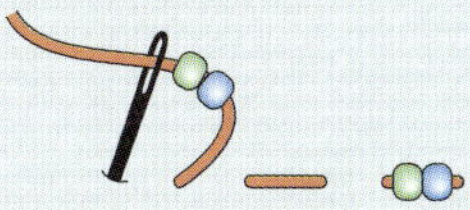

3 1針ごとにビーズ3粒を通して。針目は3粒合わせた幅より、ちょっと長めに

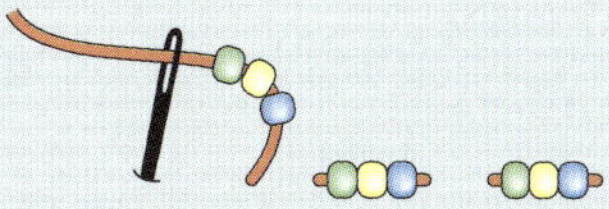

4 2本のステッチの間に、針目をずらしたステッチでビーズをプラス

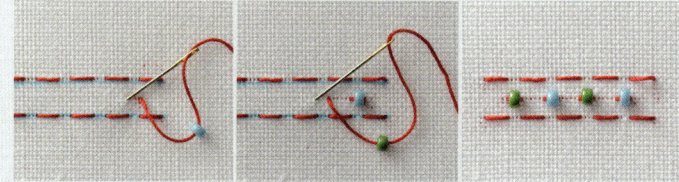
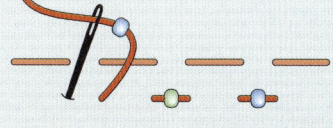

5 1のステッチを、針目をそろえて3段重ねます。色をそろえて優しい雰囲気に

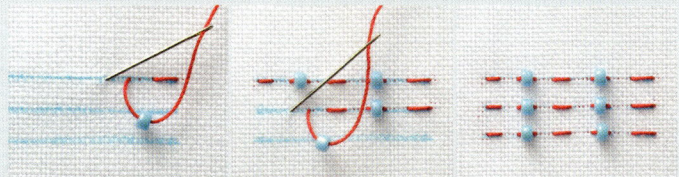
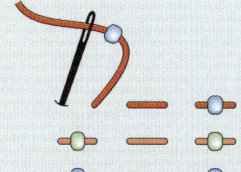

6 針目をずらした1のステッチ。軽快なステップを踏むように

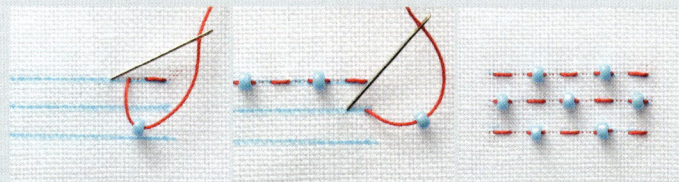
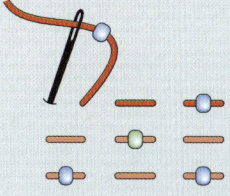

Running Stitches with Beads (1〜6)

Straight Stiches with Beads
Back/Pekinese Stiches with Beads
Outline/Holbein Stiches with Beads
Branket/Buttonhole Stiches with Beads

LESSON-1

左ページのワンピース：衿・裾〈stitch design 13〉DMC5番 3689（ピンク）／丸大ビーズ 905（ピンク）、901（黄）、919（青）、943（紫）、173（黄緑）、ウエスト〈stitch design 14〉DMC5番 3689（ピンク）／丸大ビーズ 905（ピンク）、919（青）、901（黄）、〈stitch design 23〉DMC5番 3689（ピンク）／丸大ビーズ 905（ピンク）、919（青）、901（黄）943（紫）、173（黄緑）

ベビーシューズ：〈stitch design 11〉DMC5番 164（若草色）／丸大ビーズ 405（赤）、さくらんぼ〈P. 14〉DMC5番 164（若草色）／マガ玉ビーズ M25 4mm（赤）

ベビーキャミソール＆ショーツ：衿ぐり〈stitch design 1〉DMC5番 164（若草色）／丸大ビーズ 905（ピンク）、901（黄）、919（青）、943（紫）、105（黄緑）、胸元〈stitch design 11〉DMC5番 164（若草色）／丸大ビーズ 405（赤）、さくらんぼ〈P. 14〉DMC5番 164（若草色）／マガ玉ビーズ M25 4mm（赤）

LESSON-1
Straight Stitches
with Beads

7
stitch design

8
stitch design

9
stitch design

10
stitch design

11
stitch design

12
stitch design

13
stitch design

How to stitch ▶P.66

ストレートステッチにビーズを通して…

7 ストレートステッチの間にビーズ1粒を刺して

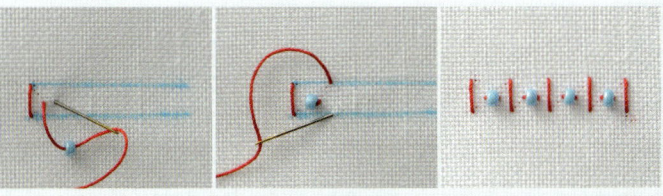

> **Straight Stitch**
> ストレートステッチ
>
> まっすぐなラインを刺す基本的なステッチ。平行に刺したり、放射状に刺したり…長さや方向を変えて、いろいろな模様を作ることができます。

8 ストレートステッチ3本とビーズ1粒で ＜筏＞

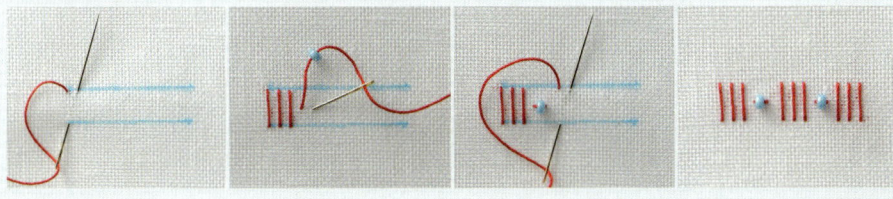

9 ストレートステッチとビーズ1粒を凸凹にくり返して ＜でこぼこ＞

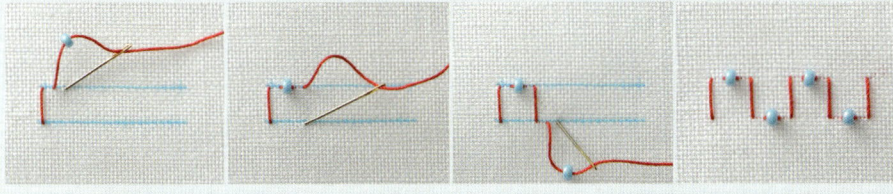

10 斜めのストレートステッチとビーズをくり返して ＜ジグザグ＞

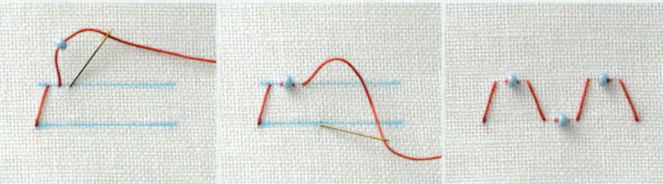

11 ストレートステッチを茎と葉に見立てて ＜お花ボーダー＞

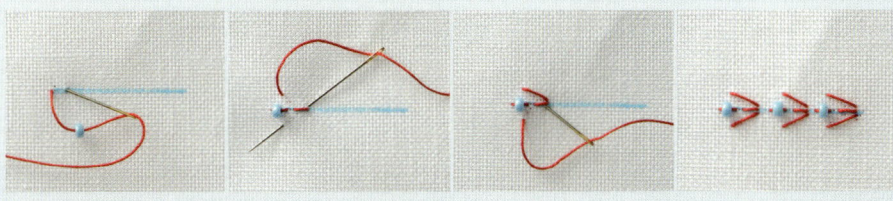

12 3本のストレートステッチをビーズ1粒でまとめて ＜薪＞

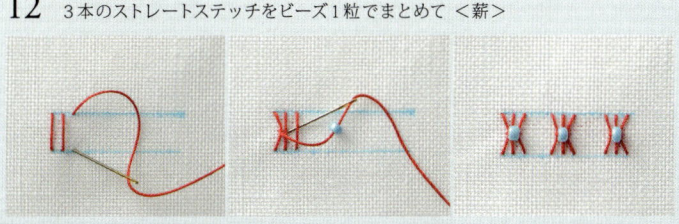

13

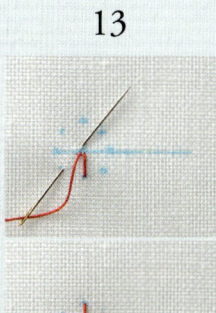

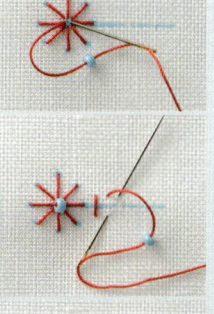

ストレートステッチを放射状に刺して、ビーズの花心を中心に ＜ひまわり＞

Straight Stitches with Beads (7〜13)

LESSON-1
Back/Pekinese Stitches
with Beads

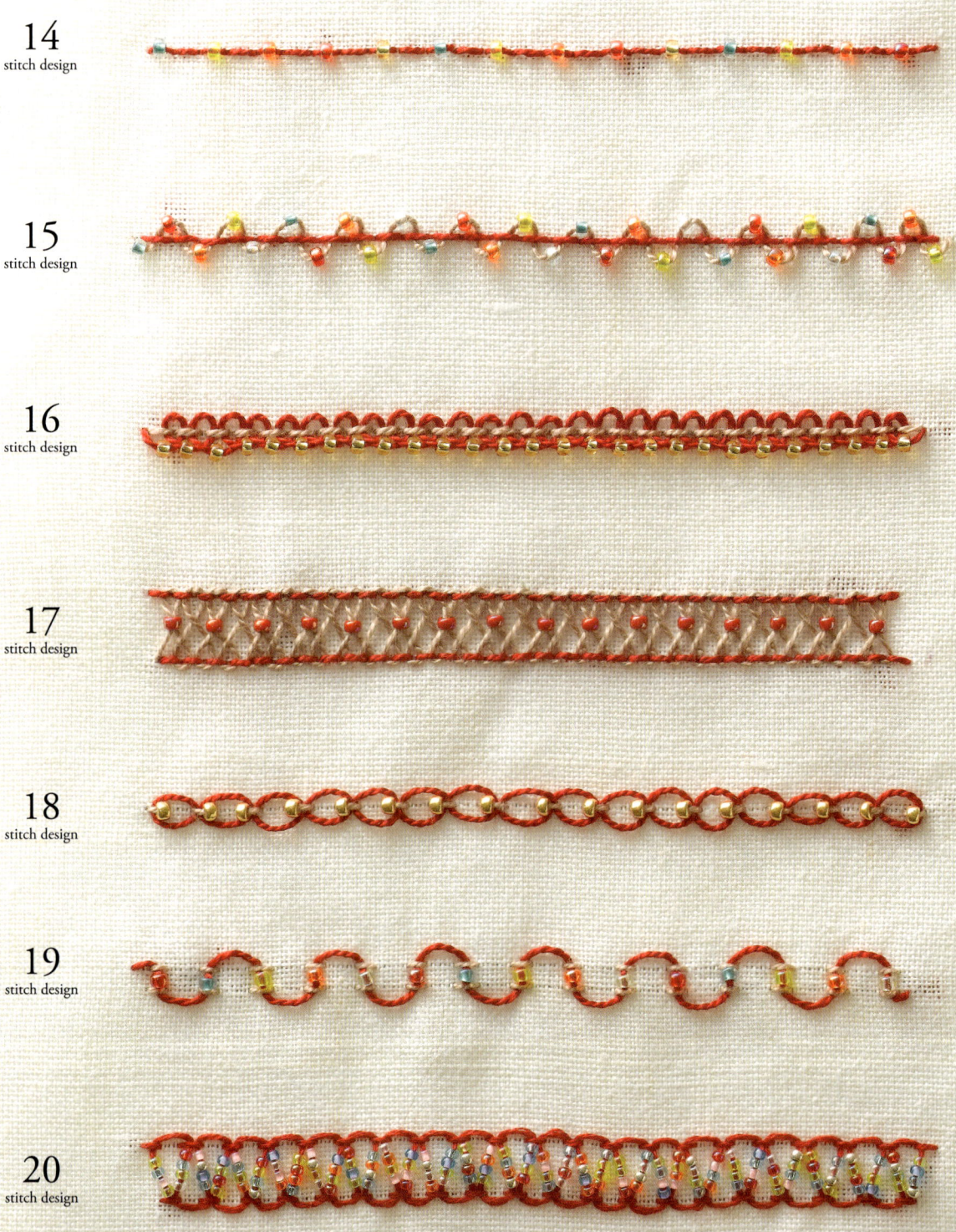

14 stitch design

15 stitch design

16 stitch design

17 stitch design

18 stitch design

19 stitch design

20 stitch design

How to stitch ▶P.66〜67

バック / ペキニーズステッチにビーズを通して…

14 基本のバックステッチに、1目おきにビーズを1粒ずつ通して

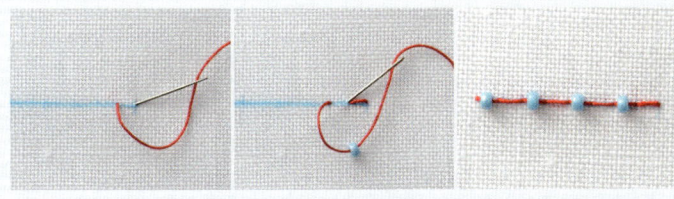

> **Back Stitch**
> バックステッチ
>
> 輪郭線によく用いられるステッチで、ひと針ずつ戻りながら、右から左に進みます。本返し縫いの要領で、なるべくそろった針目で刺しましょう。

> **Pekinese Stitch**
> ペキニーズステッチ
>
> 中国の伝統的なステッチ。地刺しのバックステッチをすくい、別糸を編むように絡めてループを作ると、陰影が美しいブレードのような仕上がりになります。

15 スレデッドバックステッチに1粒ずつビーズを通して〈波〉

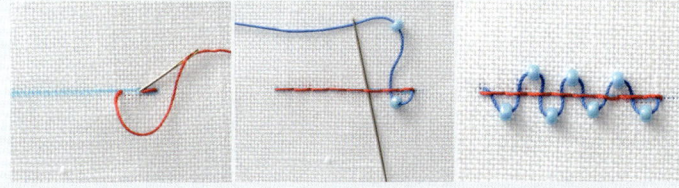

16 バックステッチをベースに、ビーズを通しながら別糸を絡めてループを作る〈ペキニーズステッチ〉

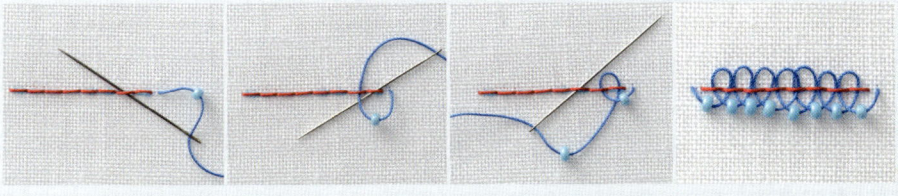

17 2本のバックステッチに、ヘアピンレースのようなループを作って〈ダブルペキニーズステッチ〉

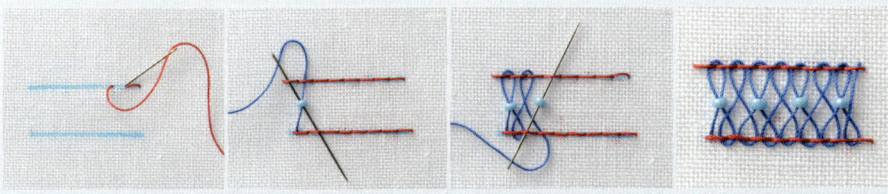

18 ランニングステッチでビーズを刺しておき、別糸を通していく〈スレデッドランニングステッチ〉

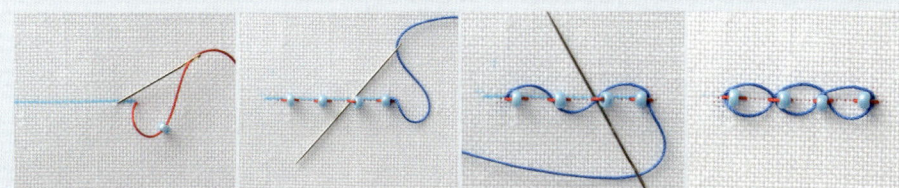

19 2列のランニングステッチの間にビーズを通しながら、別糸を絡めて

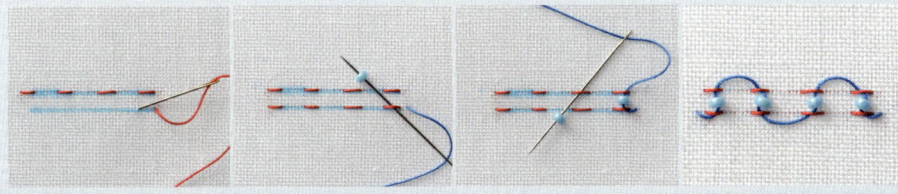

20

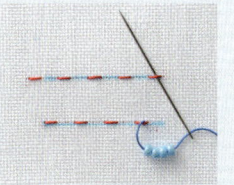
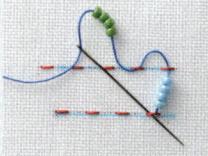
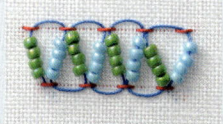

2列のランニングステッチの間に4粒ずつビーズを通しながら、別糸を絡める

Back/Pekinese Stitches with Beads (14〜20)

LESSON-1
Outline/Holbein Stitches
with Beads

21
stitch design

22
stitch design

23
stitch design

24
stitch design

25
stitch design

26
stitch design

27
stitch design

How to stitch ▶P.67〜68
アウトライン / ホルベインステッチにビーズを通して…

21 アウトラインステッチに1目おきにビーズを通して

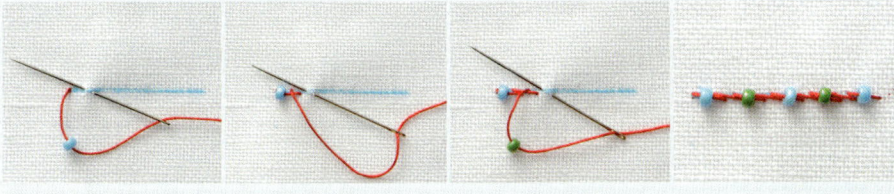

> **Outline Stitch**
> アウトラインステッチ
>
> 直線やカーブに輪郭線を描くように刺すステッチ。表に出る縫い目の半分を斜めに返し縫いしていきます。なるべく均等に刺すことがポイント。

22 ビーズ2粒分の針目で、重なりの深いアウトラインステッチを

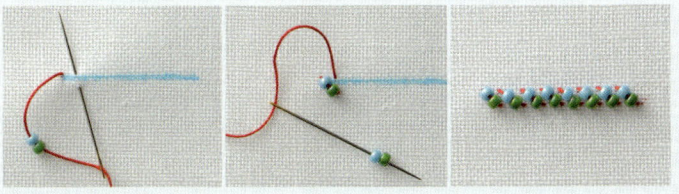

> **Holbein Stitch**
> ホルベインステッチ
>
> 名前の由来はドイツの画家、ハンス・ホルバインの絵画に描かれた刺繍から。表裏に針目が均等に渡り、複雑な幾何学模様や繊細な輪郭線に向いています。

23 重なりの深いアウトラインステッチを上下対称に ＜アローステッチ＞

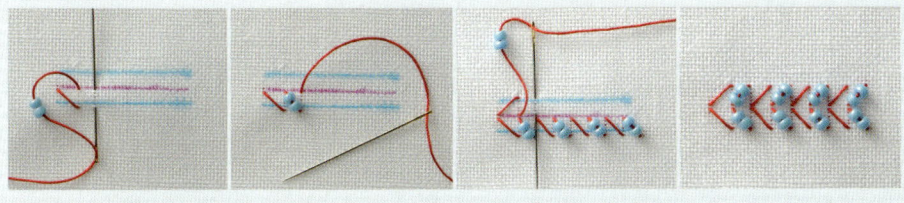

24 ビーズを1粒ずつ通したランニングステッチの間を、別糸でうめていく＜ホルベインステッチ＞

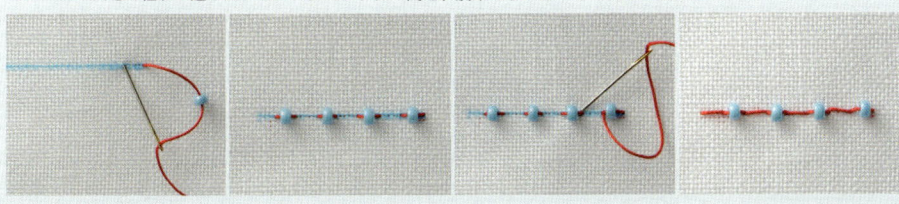

27

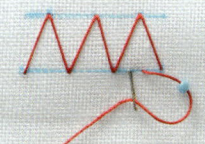

25 凸凹に刺したホルベインステッチに、ビーズも1粒ずつ凸凹に刺して

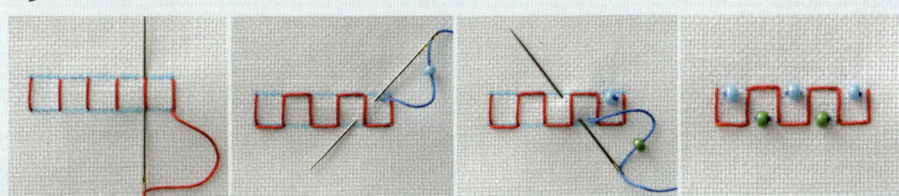

26 ジグザグに刺して山を作り、角にビーズを1粒ずつ別糸で刺していく

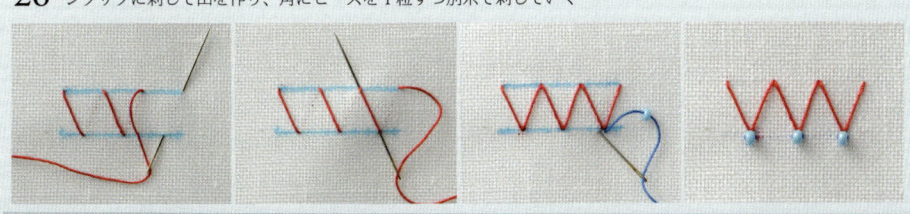

ジグザグの山の間に、ビーズを1粒ずつランニングステッチで刺していく

LESSON-1
Blanket/Buttonhole Stitches
with Beads

28
stitch design

29
stitch design

30
stitch design

31
stitch design

32
stitch design

33
stitch design

34
stitch design

How to stitch ▶P.68～69

ブランケット / ボタンホールステッチにビーズを通して…

28 ボタンホールステッチを上下対称に刺し、中央にビーズを1粒ずつ刺して

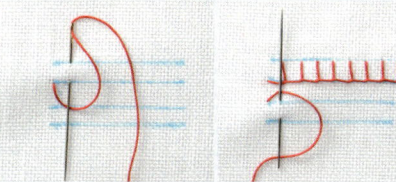 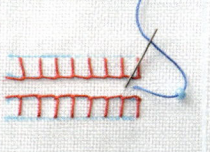 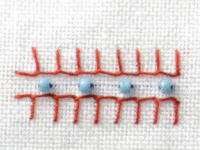

Branket Stitch
ブランケットステッチ

昔、毛布の縁をかがるときに使われたステッチ。ボタンホールステッチより間隔を広くあけた刺し方です。キルトやアップリケの縁かがりにも使われます。

30 ボタンホールステッチに、ビーズを1目おきに通して

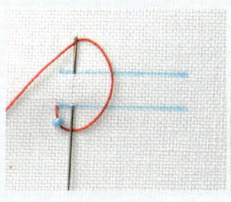 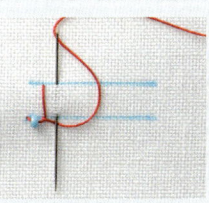 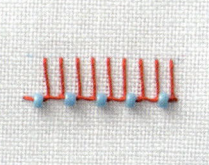

Buttonhole Stitch
ボタンホールステッチ

ボタン穴をかがるときに使われるステッチ。針に糸をかけて、間隔をつめて刺します。装飾的な縁かがりや刺し埋めなど、バリエーションが豊富です。

31 ブランケットステッチの足に、1目おきに短い針目でビーズを刺して

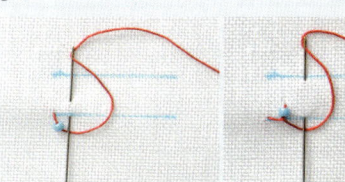 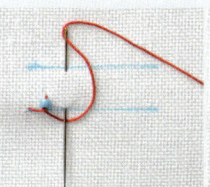 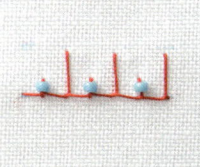

29

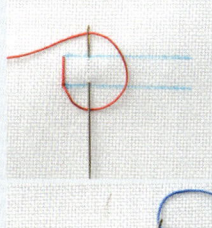

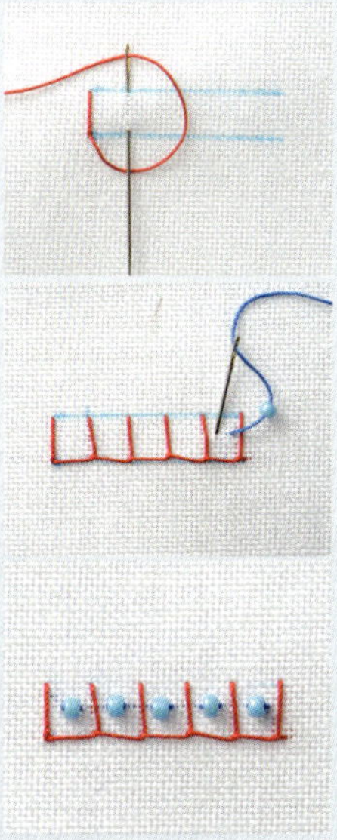

32 長短の竹ビーズと丸小ビーズ組み合わせで、お花畑のように

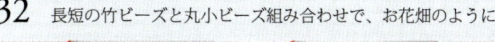

基本のブランケットステッチに1粒ずつビーズを加えて

33 ブランケットステッチの足を閉じて三角を作り、中心にビーズを ＜クローズドボタンホールステッチ＞

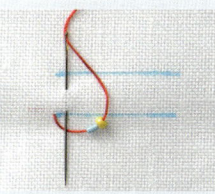 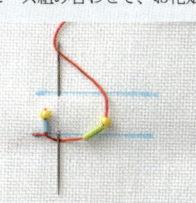 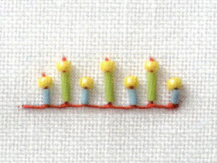

34 ボタンホールステッチに、糸を2回引っ掛けて。飛んだり跳ねたりうさぎの耳のように

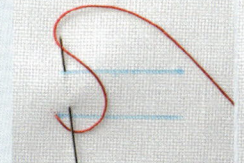 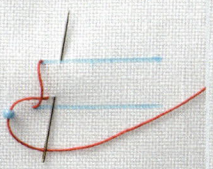 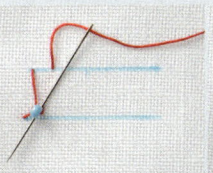 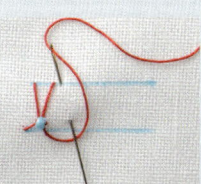 

Lazy Daisy Stiches with Beads
Chain Stiches with Beads   Closs Stiches with Beads
Chevron/Herringbone Stiches with Beads
Fern/Fly Stiches with Beads   Couching Stiches with Beads
Opeen Cretan Stiches with Beads
Zigzag Stiches with Beads   Feather Stiches with Beads

LESSON-2

左ページのストール：〈stitch design43〉アップルトン 758（濃ピンク）／丸大ビーズ 332（赤紫）、〈stitch design36〉アップルトン 144（ピンク）、758（濃ピンク）／丸大ビーズ 332（赤紫）、〈stitch design37〉アップルトン 758（濃ピンク）／丸大ビーズ 906（ピンク）、332（赤紫）、〈stitch design38〉アップルトン 544（黄緑）／丸大ビーズ 122（ミルク色）、105（黄緑）、〈stitch design38〉アップルトン 144（ピンク）／丸大ビーズ 906（ピンク）、106（薄ピンク）

カーディガン：〈stitch design54〉DMC25 番 304（赤・2本どり）／丸大ビーズ 332（赤紫）、559（金）、〈stitch design93〉アップルトン 187（茶）／丸大ビーズ 332（赤紫）、559（金）

くつした：左〈stitch design67〉アップルトン 564（青）／丸大ビーズ 23（青）、170（淡青）、264（青緑）、右〈stitch design67〉アップルトン 454（紫）／丸大ビーズ 977（薄紫）、170（淡青）、264（青緑）、共通〈stitch design61〉アップルトン 544（緑）、758（赤）／丸大ビーズ 105（黄緑）
※糸はすべて2本どり

LESSON·2
Lazy Daisy Stitches
with Beads

35
stitch design

36
stitch design

37
stitch design

38
stitch design

39
stitch design

40
stitch design

41
stitch design

How to stitch ▶ P.69〜70
レゼーデイジーステッチにビーズを通して…

36 ビーズでとめたレゼーデイジーステッチに、別糸をくぐらせて〈スレデッドチェーンステッチ〉

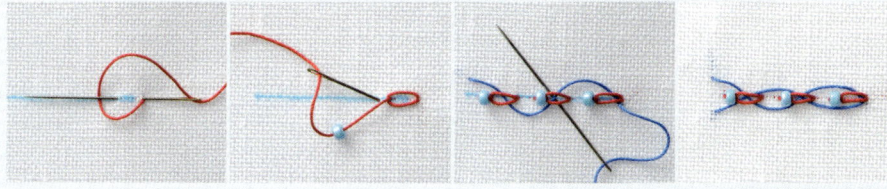

> **Lazy Daisy Stitch**
> レゼーデイジーステッチ
>
> 「怠け者のひなぎく」という名の通り、小さな花びらを放射状に刺すと、かわいいひなぎくのようになります。チェーンステッチと同じ要領で刺します。

37 フライレゼーデイジーステッチに2粒ずつビーズを通して

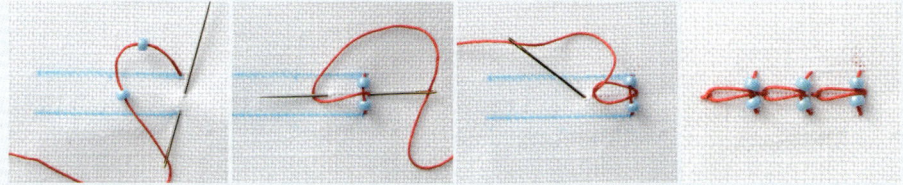

38 上下対称に刺したレゼーデイジーステッチの双葉を、2粒ずつのビーズでつないで

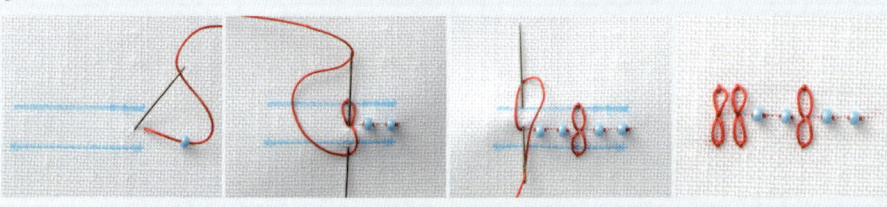

35

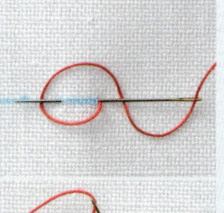

39 レゼーデイジーステッチをバックステッチとビーズ1粒でつないで

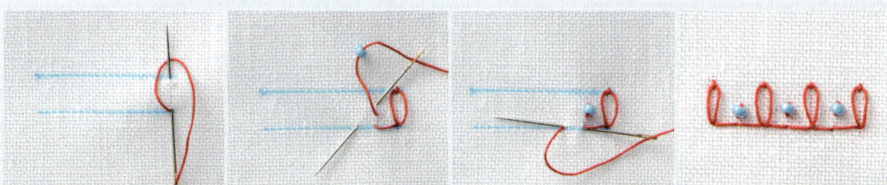

基本のレゼーデイジーステッチをビーズを1粒でとめて

40 レゼーデイジーステッチとビーズ1粒の組み合わせを、上下交互に刺して

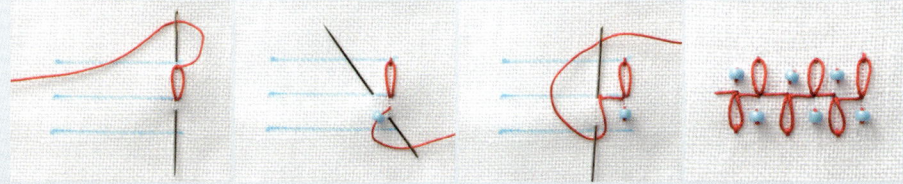

41 クロスの形に刺したレゼーデイジーステッチをビーズを1粒でとめて。かわいい手鞠の雰囲気に

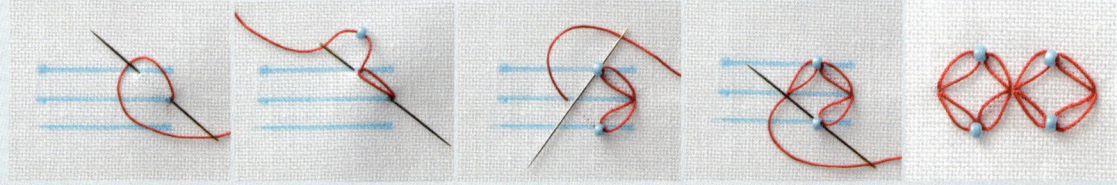

Lazy Daisy Stitches with Beads (35〜41)

LESSON-2
Chain Stitches
with Beads

42
stitch design

43
stitch design

44
stitch design

45
stitch design

46
stitch design

47
stitch design

48
stitch design

How to stitch ▶ P.70～71

チェーンステッチにビーズを通して…

42 チェーンステッチをしてから、中心にランニングステッチでビーズを刺して

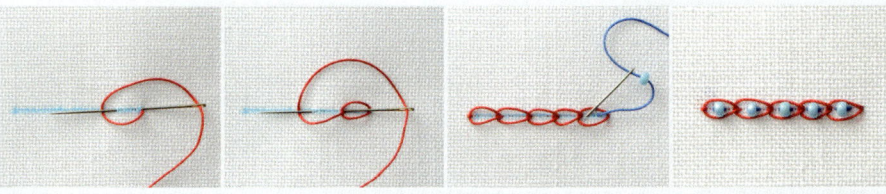

> **Chain Stitch**
> チェーンステッチ
>
> 小さなループを作ってくさりのようにつなげていくステッチ。最も古くから伝わるステッチの一つで、世界中のアンティークの織物などに見られます。

43 ケーブルチェーンステッチに1粒ずつビーズを通して

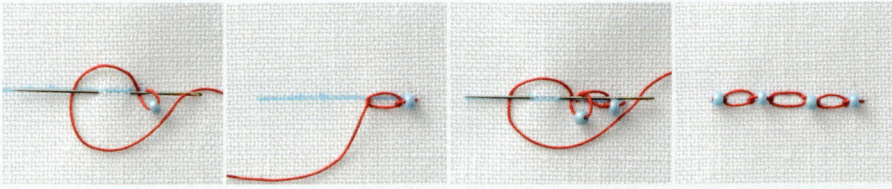

44 ジグザグに刺すケーブルチェーンステッチに1粒ずつビーズを通して

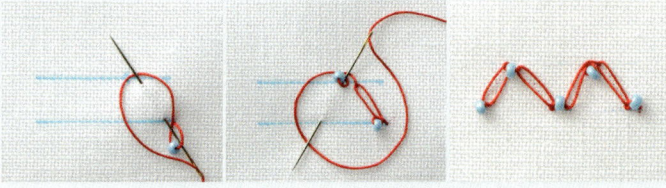

45 チェーンフェザーステッチを2粒ずつのビーズでとめて

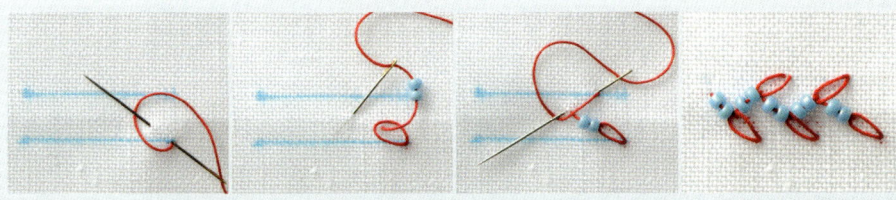

46 オープンチェーンステッチにビーズ3粒を1目おきに通して

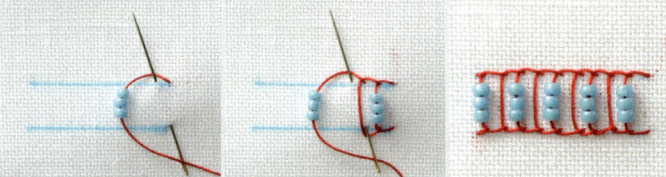

47 オープンチェーンステッチ3本を、ビーズ1個でまとめて

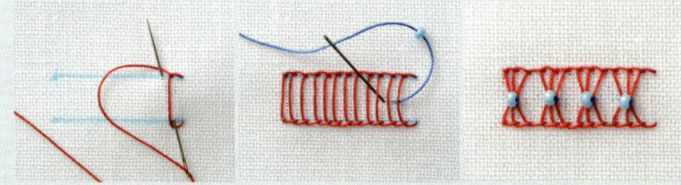

48

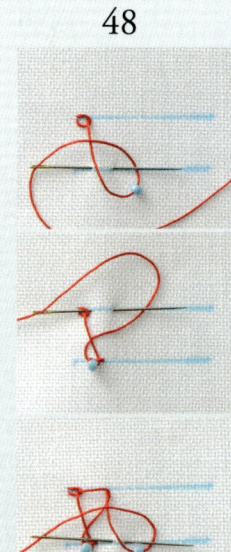

クレステッドチェーンステッチにビーズを通して

Chain Stitches with Beads (42～48)

LESSON·2
Cross Stitches
with Beads

49
stitch design

50
stitch design

51
stitch design

52
stitch design

53
stitch design

54
stitch design

55
stitch design

How to stitch ▶ P.71〜72

クロスステッチにビーズを通して…

49 基本のクロスステッチの間に1粒ずつビーズを刺して

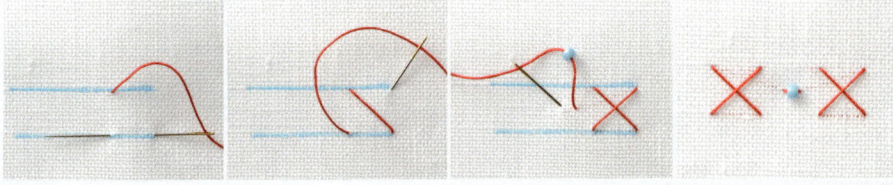

> **Cloth Stitch**
> クロスステッチ
>
> 世界各地で親しまれているステッチの一つ。幾何学模様から風景画まで、幅広い表現が楽しめます。×の上になる糸を常に同じ向きに刺すのがポイント。

50 基本のクロスステッチの中心にビーズを刺して、ストレートステッチでつなげて

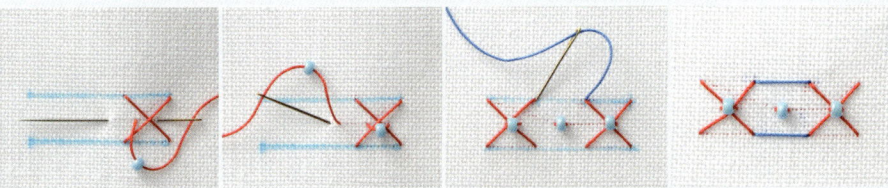

51 ライスステッチ（レイズドノット）の中心にビーズを刺して

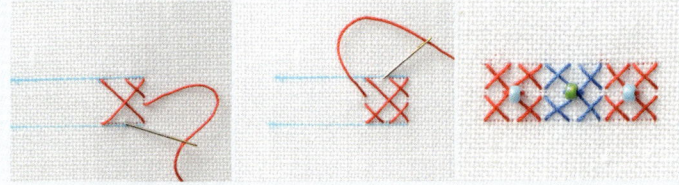

52 スターフィリングの中心にビーズを刺して、ビーズを通したランニングステッチでつなぐ

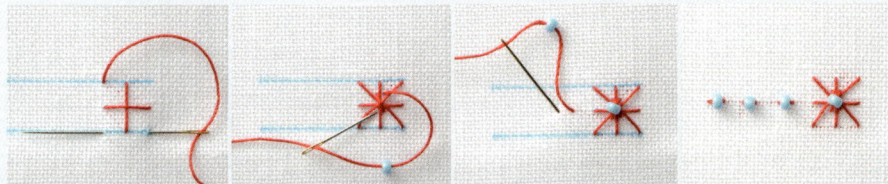

53 中心にビーズを刺したクロスステッチを組み合わせて

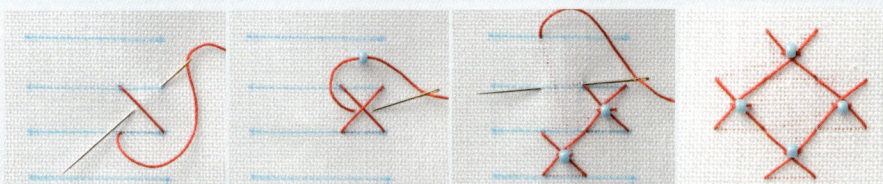

54 ビーズを2個ずつ通してクロスに刺し、お花を作る

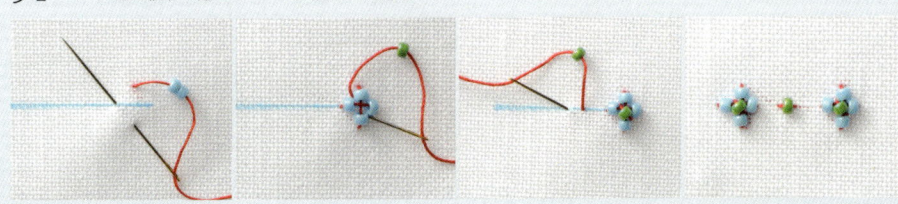

55

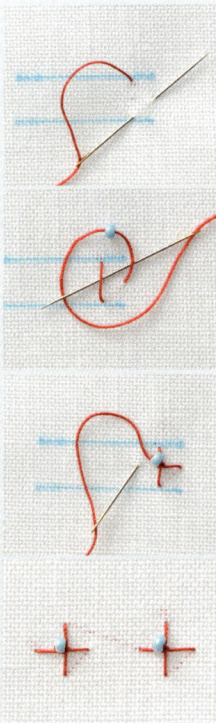

中心で糸を絡めた十字のクロスに、ビーズを一粒通して

Cross Stitches with Beads (49〜55)

LESSON·2
Chevron/Herringbone Stitches
with Beads

56
stitch design

57
stitch design

58
stitch design

59
stitch design

60
stitch design

61
stitch design

62
stitch design

How to stitch ▶ P.72〜73

シェブロン&ヘリンボーンステッチにビーズを通して…

> **Chevron Stitch**
> シェブロンステッチ
>
> ジグザグにバックステッチをしながら、左から右に進むステッチ。チャコペンなどで平行線を描いて刺すと、きれいに仕上がります。

> **Herringbone Stitch**
> ヘリンボーンステッチ
>
> "ニシンの骨"のような、交差したジグザグを描くボーダーステッチ。別糸を絡ませるなど、アレンジ豊富なステッチです。和裁では千鳥がけといいます。

56 シェブロンステッチにビーズを1粒ずつ通して

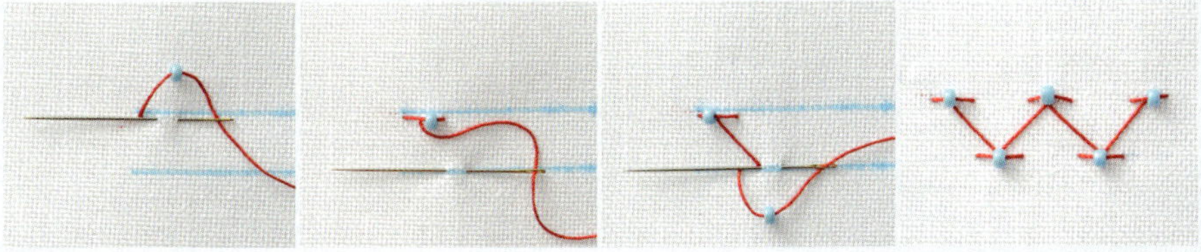

57 シェブロンステッチにビーズを3粒ずつ通して

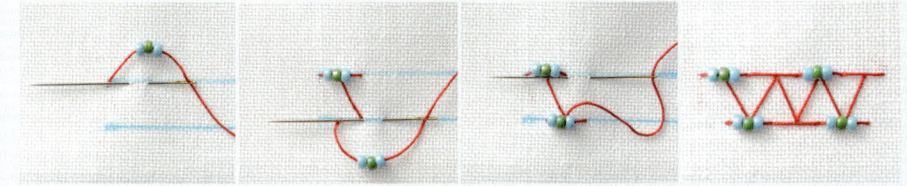

58

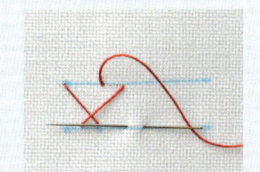

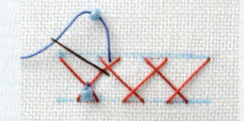

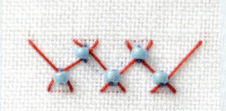

59 ねじりヘリンボーンステッチに、ビーズを1粒ずつ通して

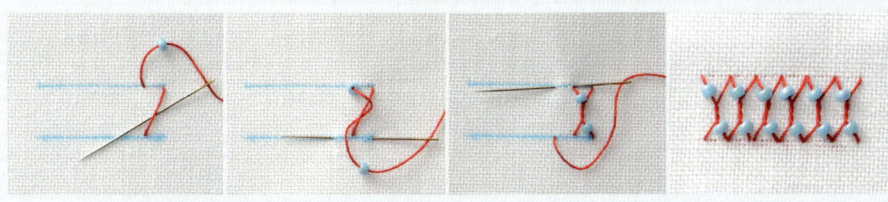

60 バックステッチにビーズを1粒ずつ通して別糸を絡ませて <ヘリンボーンラダーフィリングステッチ>

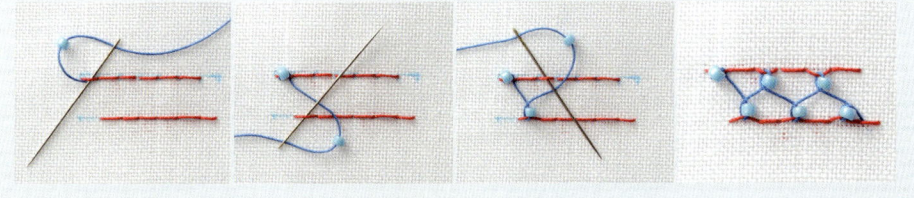

61 ヘリンボーンステッチにビーズを通した糸を絡ませて <スレデッドヘリンボーンステッチ>

ヘリンボーンステッチの交差部分にビーズを一粒刺して

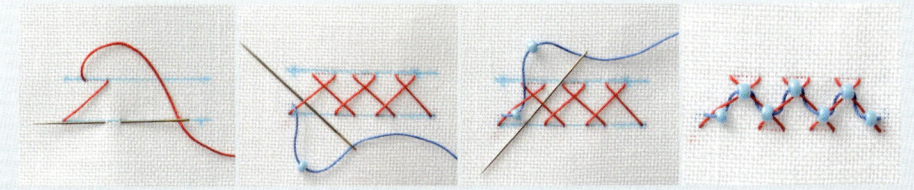

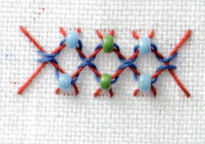

62 ダブルヘリンボーンステッチにビーズを通した糸を絡ませて <ツイステッドラティスバンド>

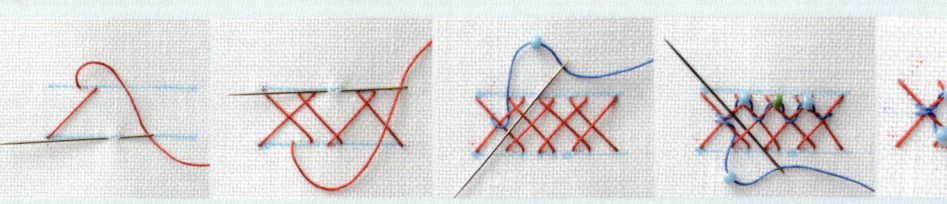

LESSON·2
Fern/Fly Stitches
with Beads

63 stitch design

64 stitch design

65 stitch design

66 stitch design

67 stitch design

68 stitch design

69 stitch design

How to stitch ▶ P.74〜75

ファーン / フライステッチにビーズを通して…

63 基本のファーンステッチの中心に1粒ずつビーズを通して

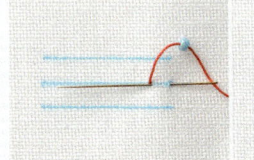

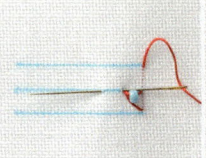

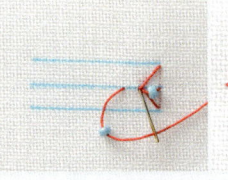

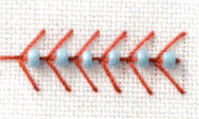

64 ファーンステッチにビーズを通して、お花のボーダーに

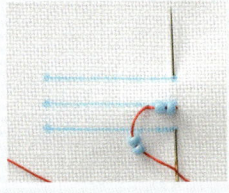

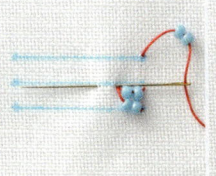

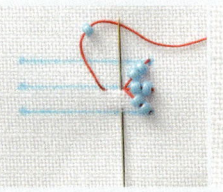

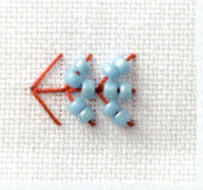

65 ビーズを増やしながらフライステッチを刺し、ツリーの形に仕上げます

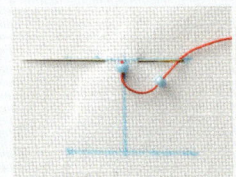

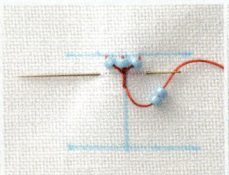

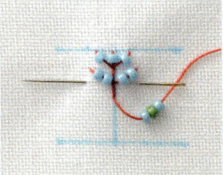

67 上下対称に刺したフライステッチをビーズ2粒でとめて、中心にアクセントを

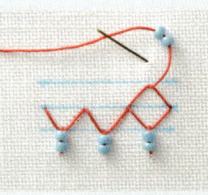

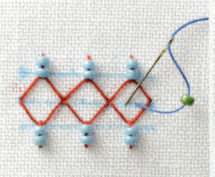

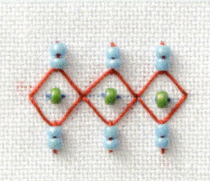

68 ビーズを通しながら、大小のフライステッチを向かい合わせに刺します ＜リバーストフライステッチ＞

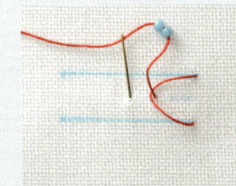

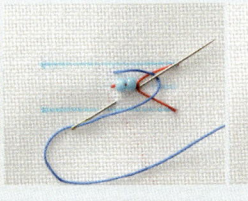

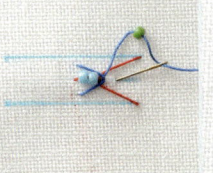

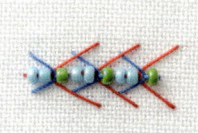

69 粒のビーズを左右対称に分け、長い針目でとめます ＜牛の角ステッチ＞

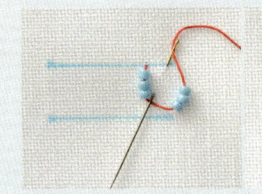

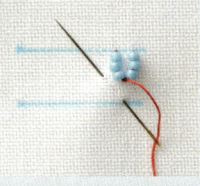

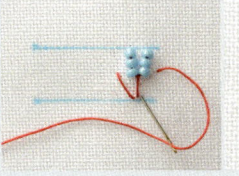

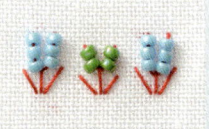

Fern Stitch
ファーンステッチ

"シダ"の葉のように、大きく枝分かれしたステッチ。平行線を3本引くと、バランスよく刺せます。ビーズを入れる位置で、いろいろなモチーフができます。

Fly Stitch
フライステッチ

縦横につなげてボーダーに、針目の長さを変えて重ねたり…と、初心者でもかんたんにアレンジを楽しめます。続けて刺せば、フェザーステッチに。

66

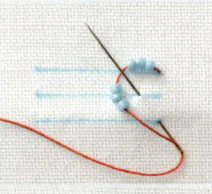

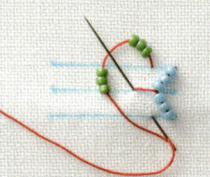

基本のフライステッチにビーズを通して

Fern/Fly Stitches with Beads (63〜69)

LESSON·2
Couching Stitches
with Beads

70
stitch design

71
stitch design

72
stitch design

73
stitch design

74
stitch design

75
stitch design

76
stitch design

How to stitch ▶ P.75～76

コーチングステッチにビーズを通して…

70 基本のコーチングステッチの芯糸にビーズを通して

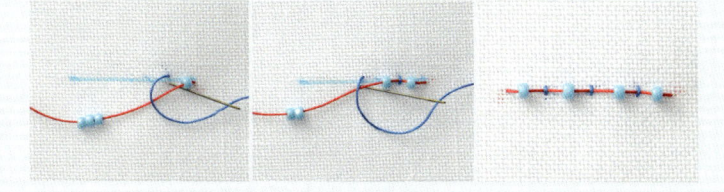

71 ビーズを通した糸をクロスステッチでとめて

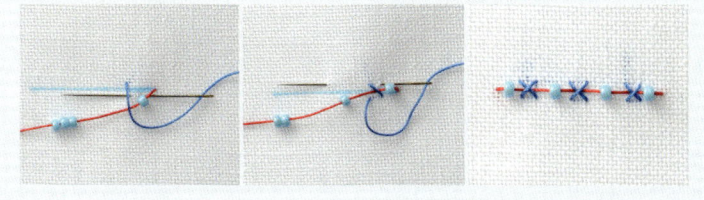

73 竹ビーズを通した糸をジグザグにしてビーズでとめて

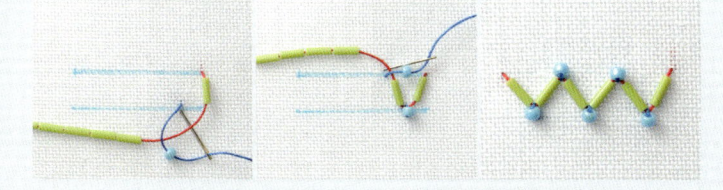

74 丸大ビーズを通した糸を、レゼーデイジーステッチでとめて

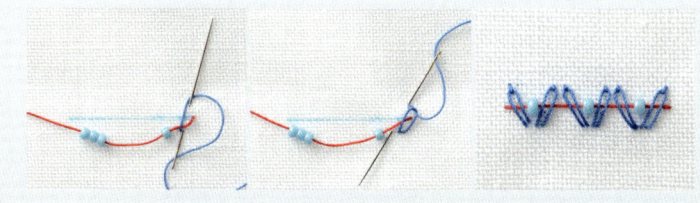

75 丸大ビーズを通した糸を、丸小ビーズでとめて

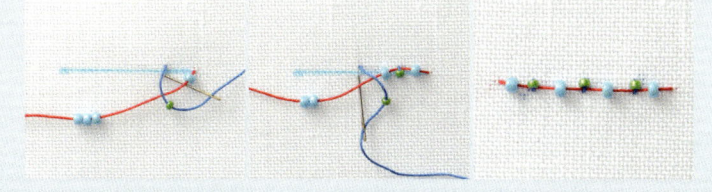

76 刺繍糸を芯にして4粒のビーズをジグザグにとめて ＜ファンシーコーチングステッチ＞

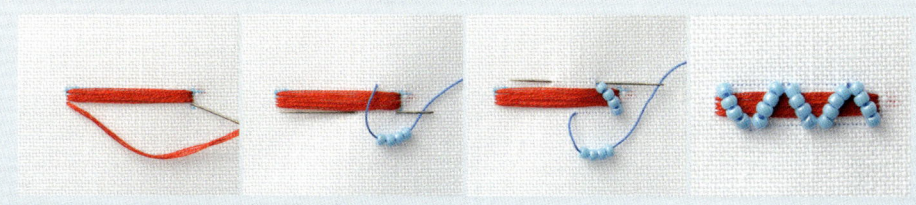

72

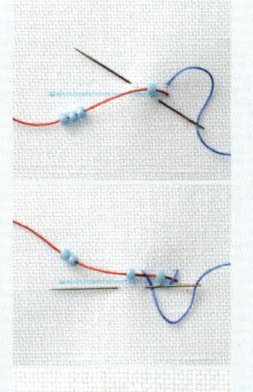

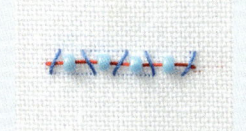

糸に通したビーズの間を、ジグザグにとめて楽しげに

> **Couching Stitch**
> **コーチングステッチ**
> 仏語の"coucher（横たえる）"が由来。布においた糸で線を描き、しなやかな糸でとめていきます。目の細かい布にも太い糸や金糸が使えます。

Couching Stitches with Beads (70～76)

LESSON-2
Open Cretan Stitches
with Beads

77 stitch design

78 stitch design

79 stitch design

80 stitch design

81 stitch design

82 stitch design

83 stitch design

How to stitch ▶P.76

オープンクレタンステッチにビーズを通して…

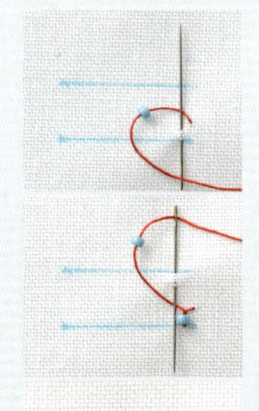

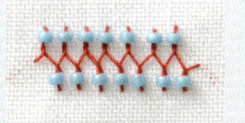

78 オープンクレタンステッチに2粒ずつビーズを通して

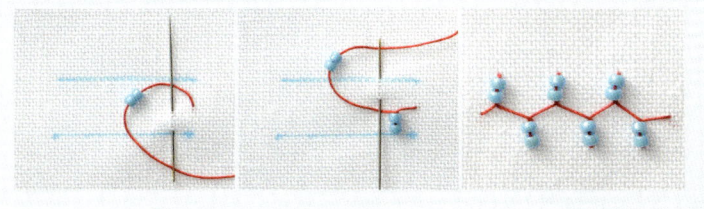

79 オープンクレタンステッチの間に竹ビーズを刺して

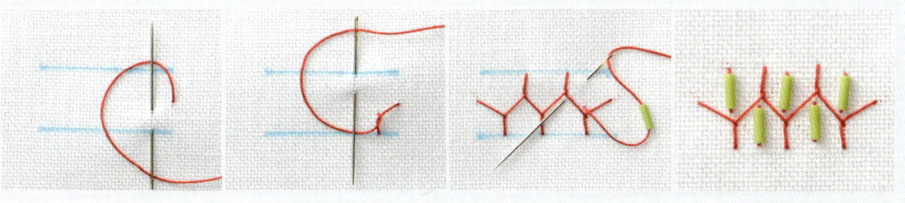

80 オープンクレタンステッチの間に1粒ずつビーズを刺して

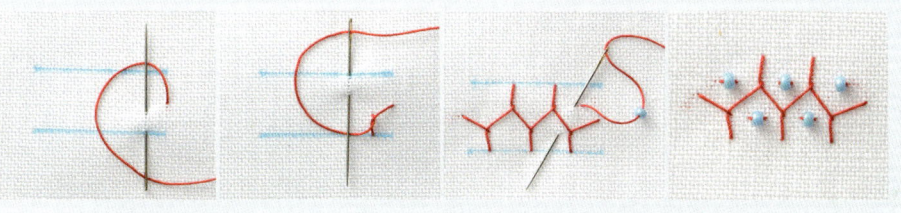

81 オープンクレタンステッチを上下対称に刺して、幾何学模様に

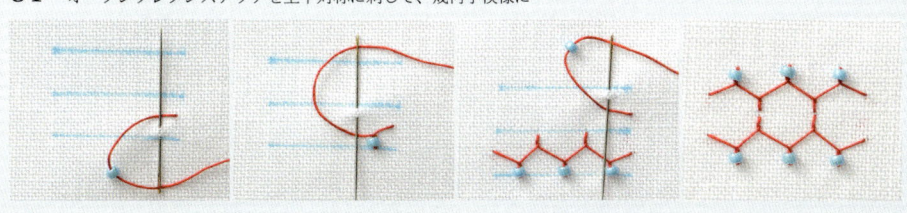

82 フィートイヤーステッチに2粒ずつビーズを通して

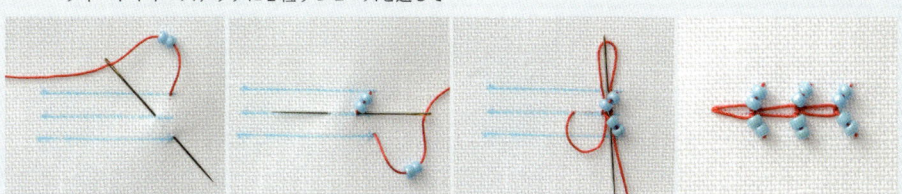

83 ビーズを通したフライステッチを、レザーデージーステッチでとめて〈フライレザーデイジーステッチ〉

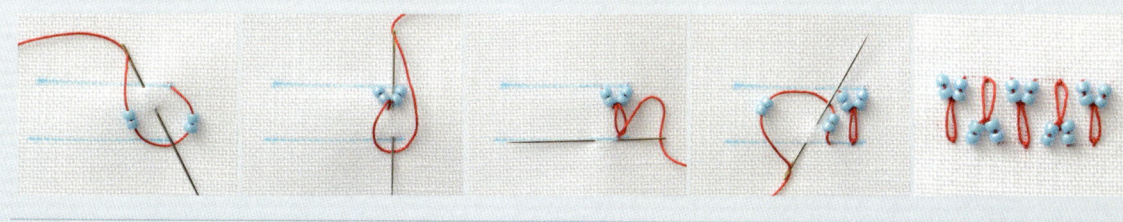

> Open Cretan Stitch
> オープンクレタンステッチ
> クレタ島で衣類やリネンの装飾に多く使われていたことから、クレタンステッチという名前に。間隔をあけて刺すとオープンクレタンステッチになります。

77

クレタンステッチに1粒ずつビーズを通して

Open Cretan Stitches with Beads (77〜83)

LESSON-2
Zigzag Stitches
with Beads

84
stitch design

85
stitch design

86
stitch design

87
stitch design

88
stitch design

89
stitch design

90
stitch design

How to stitch ▶P.77

ジグザグステッチにビーズを通して…

84 基本のジグザグステッチをして、丸大ビーズと竹ビーズを刺して

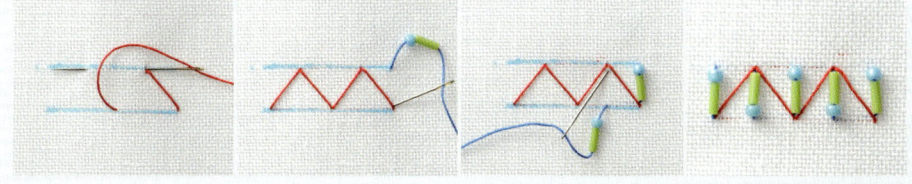

Zigzag Stitch
ジグザグステッチ

布のすくい方でステッチの大きさや角度が細かく変わり、いろいろなアレンジが楽しめます。竹ビーズを使うと、エスニックな雰囲気に。

86 ジグザグステッチを上下対称に刺して、中央に丸大ビーズを1粒ずつ

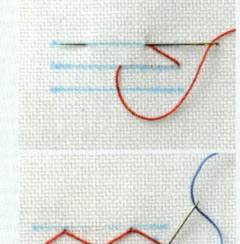

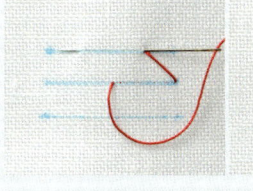

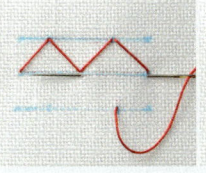

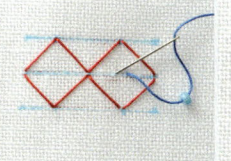

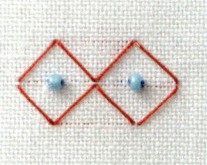

85

87 変型のジグザグステッチを2列刺して、中央に竹ビーズや丸ビーズを通します

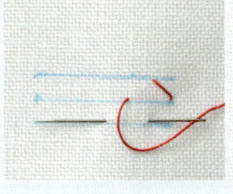

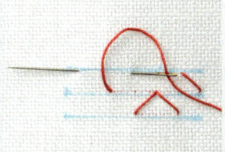

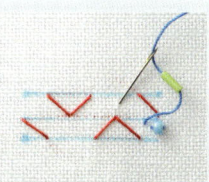

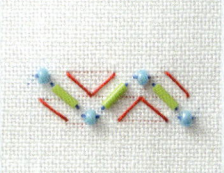

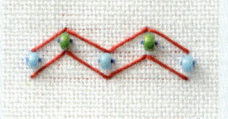

ジグザグステッチを2列平行に刺して、中央にビーズを1粒ずつ

88 竹ビーズを1本ずつ通しながら、変型のジグザグステッチを重ねるように

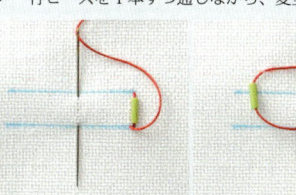

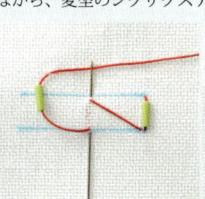

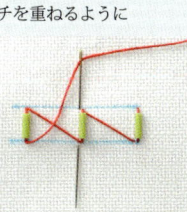

89 変型のジグザグステッチにビーズを4粒ずつ。交差した中央部分を一針縫って固定します

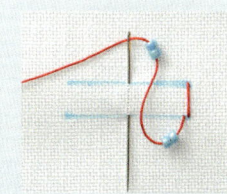

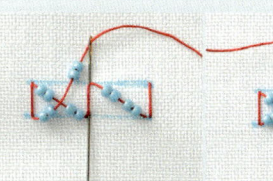

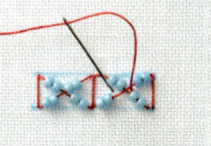

90 矢印形の変型ジグザグステッチにビーズを2粒ずつ＜アローステッチ＞

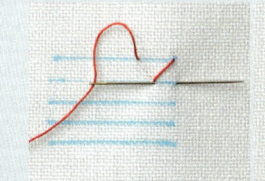

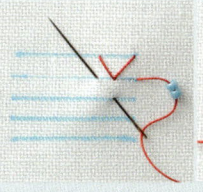

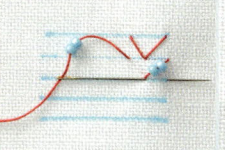

45

Zigzag Stitches with Beads (84〜90)

LESSON-2
Feather Stitches
with Beads

91
stitch design

92
stitch design

93
stitch design

94
stitch design

95
stitch design

96
stitch design

97
stitch design

How to stitch ▶ P.78

フェザーステッチにビーズを通して…

91 フェザーステッチにビーズ8粒を通して。とめのステッチでビーズを分けます

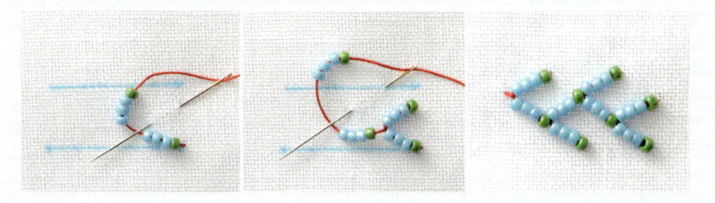

92 フェザーステッチに丸大ビーズと竹ビーズを通し、珊瑚のように

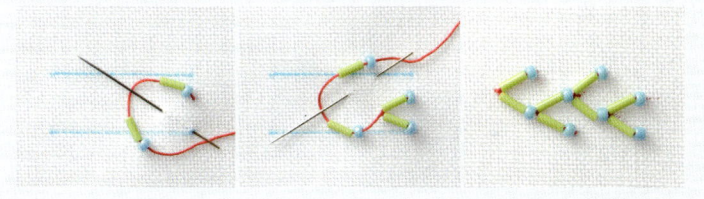

93 ダブルフェザーステッチに1粒ずつビーズを通して。小さなスグリの実のようなステッチに

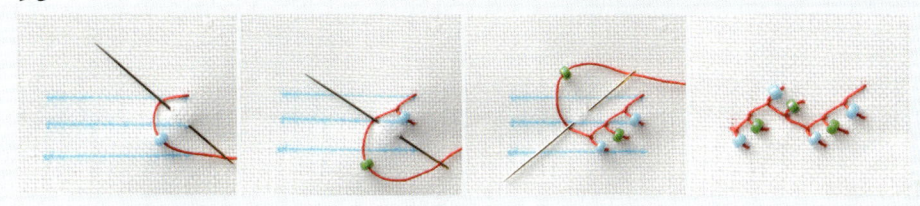

94 ダブルフェザーステッチに1粒ずつビーズを通し、ステッチ数を増やして幅広に

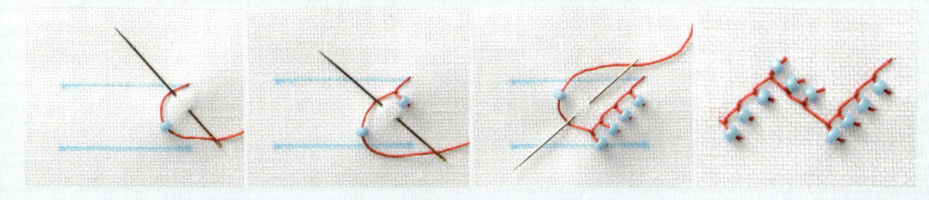

95 シングルフェザーステッチに1粒ずつビーズを通し、片側を伸ばしてステッチ

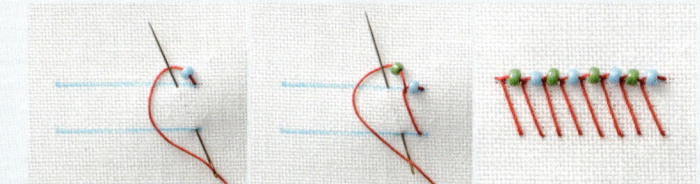

96 変形のフェザーステッチにビーズを1粒ずつ

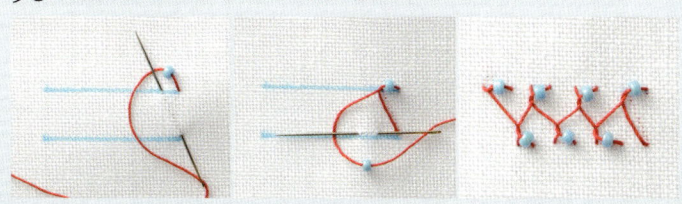

97

変形のフェザーステッチに竹ビーズを1本ずつ

> **Feather Stitch**
> フェザーステッチ
>
> 互い違いに羽のように連続して刺した軽やかなステッチ。フライステッチを応用したもので、シングルコーラルステッチとも呼ばれます。

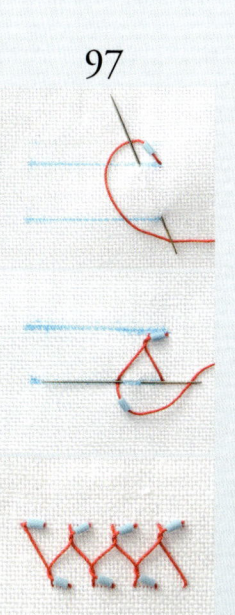

Feather Stitches with Beads (91〜97)

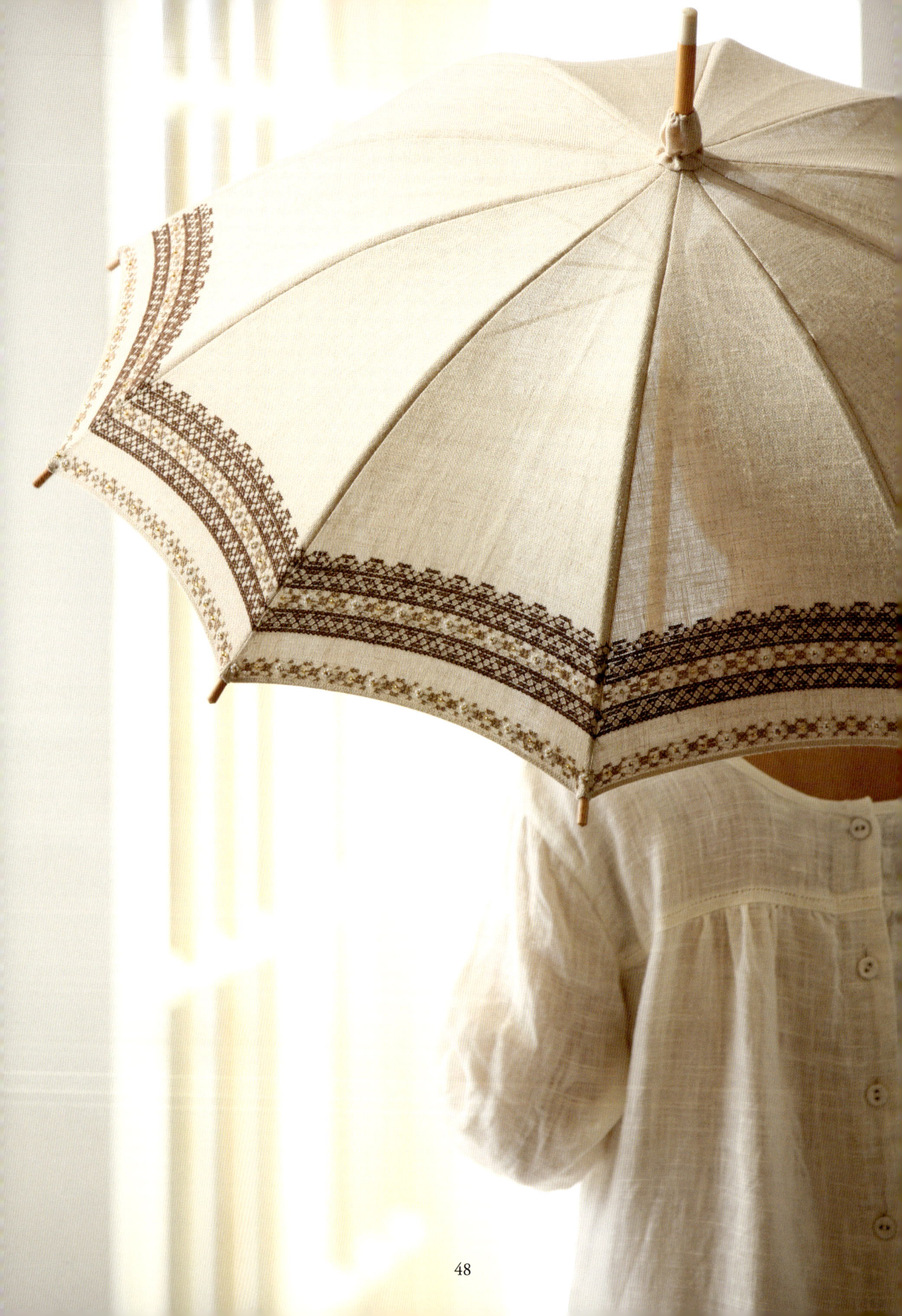

Lace Motif with Beads
Edging Stiches with Beads
Filling Stiches with Beads
One Point Motif with Beads

LESSON-3

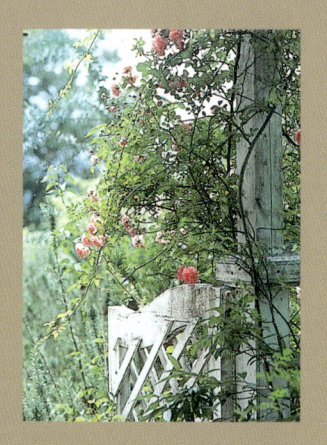

左ページの日傘：〈stitch design111 の応用〉DMC25 番 838（こげ茶・2本どり）、3790（ベージュ）／丸大ビーズ 22（金）、丸小ビーズ 401（白）、22（金）
※糸はすべて2本どり

リネンのワンピース：〈stitch design111 の応用〉DMC12 番 B5200（白）／丸大ビーズ 401（白）、丸小ビーズ 401（白）、21（銀）、〈stitch design110〉DMC12 番 B5200（白）／丸小ビーズ 401（白）

ハンカチ：チェック〈stitch design116〉DMC25 番 842（ベージュ・3本どり）／丸小ビーズ 105（黄緑）、174（オレンジ色）、332（赤紫）、402（黄）、125（赤）、白リネン〈stitch design112〉DMC25 番 304（赤・3本どり）／丸大ビーズ 22（金）、105（黄緑）、165（赤）、リネン〈stitch design118〉DMC25 番 304（赤・4本どり）、840（ベージュ・4本どり）／丸大ビーズ 122（ミルク色）、125（赤）

LESSON·3
Lace Motif
with Beads

98
stitch design

99
stitch design

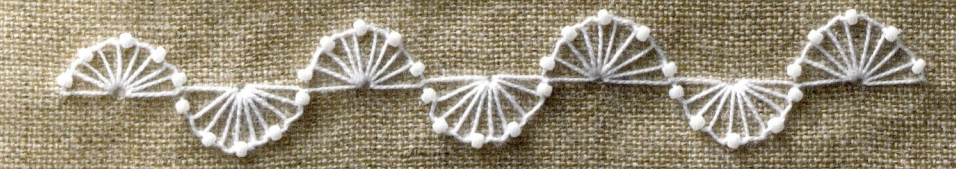

100
stitch design

101
stitch design

102
stitch design

103
stitch design

104
stitch design

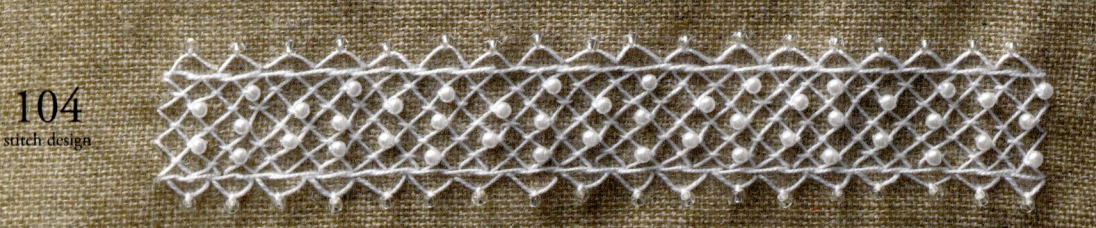

How to stitch ▶ P.82〜84

白糸のレース模様にビーズを通して…

98 スターフィリングステッチにビーズのスカラップをつけて

99 1目おきにビーズをあしらった、ボタンホールステッチの扇

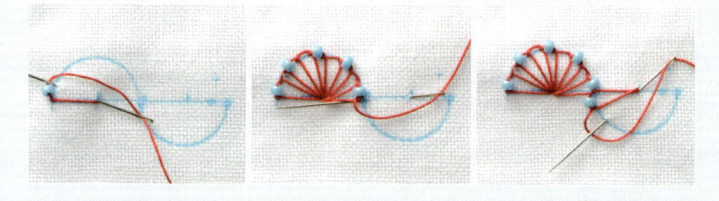

101 基本のステッチに糸を絡ませ、リボンのようなレース模様 ＜ギローシュステッチ＞

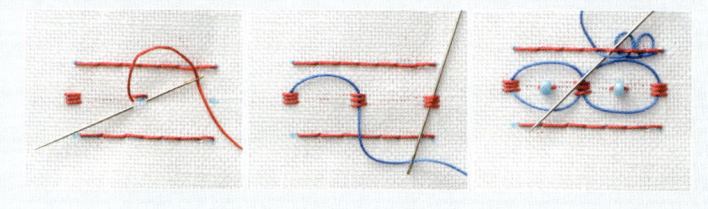

102 スターフィリングステッチを足して星座のように ＜ファンシーヘリンボーンステッチ＞

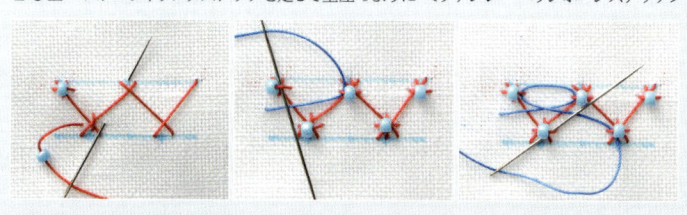

103 ビーズを通したロゼットチェーンステッチとレゼーデイジーステッチでチロリアンテープ風に

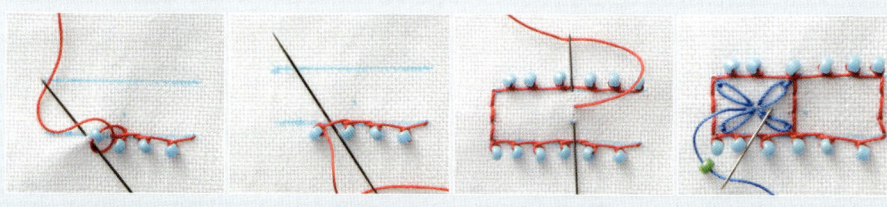

104 コーチドトレリスステッチにビーズのお花をたくさん咲かせて

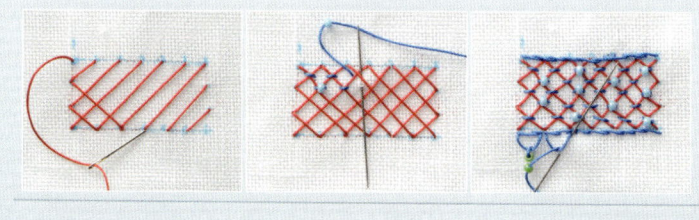

Lace Motif
レース模様

複数のステッチを組み合わせた清楚なレース模様は、ひとつつつ簡単なステッチを加えたり、糸を絡めていくことで、繊細で複雑な仕上がりになります。

100

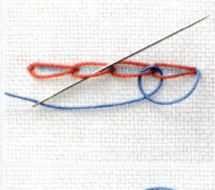

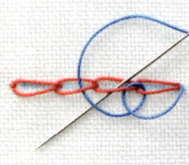

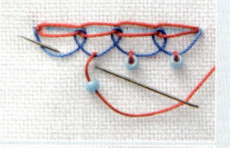

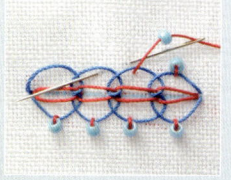

チェーンステッチの両側に糸を絡めてビーズでとめます ＜インターレースチェーンステッチ＞

BASIC LESSON　LESSON-1　LESSON-2　LESSON-3

Lace Motif with Beads (98〜104)

LESSON-3
Lace Motif
with Beads

105
stitch design

106
stitch design

107
stitch design

108
stitch design

109
stitch design

110
stitch design

111
stitch design

How to stitch ▶ P.82, 84～86

白糸のレース模様にビーズを通して…

105 ジグザグステッチをガイドに、細長いレゼーデイジーステッチを刺して

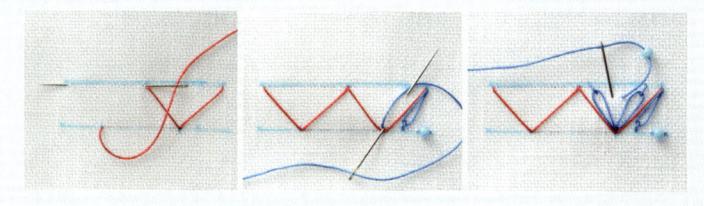

106 レゼーデイジーと竹ビーズの花柄ボーダー。クレステッドチェーンステッチのスカラップでまとめます

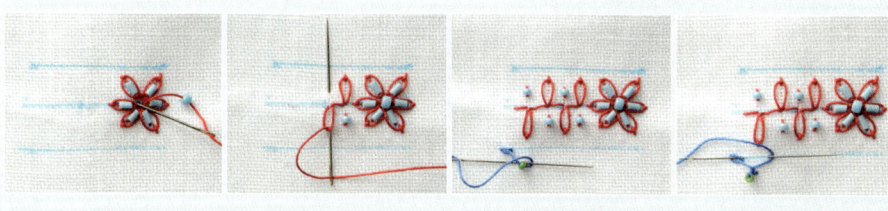

107 モルテスステッチのループをフライステッチとビーズでとめます

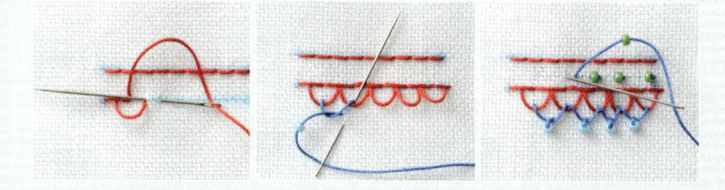

108 放射状に刺したレゼーデイジーステッチで睡蓮のような華やかさに

109 ツイステッドジグザグチェーンステッチとビーズのお花で、立体的なボリュームのあるレース模様に

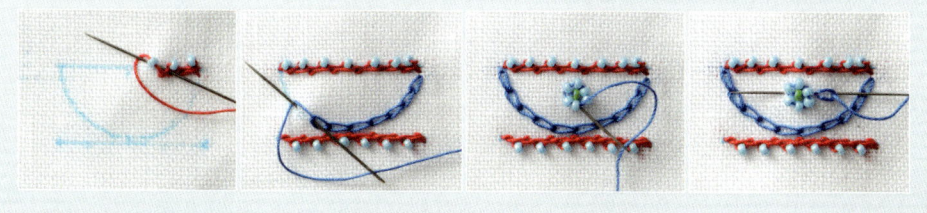

110 バックステッチで規則的に刺していく、シンボリックなバラのボーダー

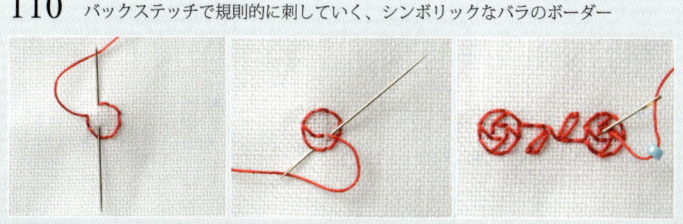

111

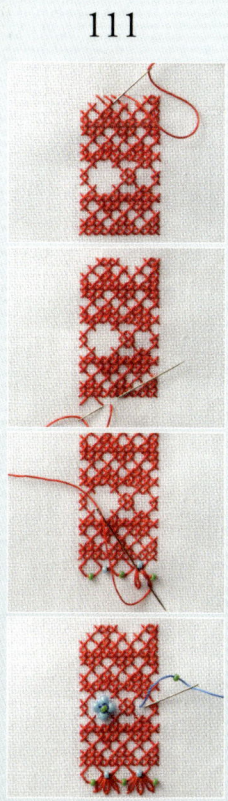

> Lace Motif
> レース模様
>
> ビーズを加えることで、平面的なステッチに、立体感やリズムが加わります。カラフルにしたり、さらにステッチを加えたり、アレンジをお楽しみください。

クロスステッチの幅広レースに、ビーズとレゼーデイジーステッチのフリンジでリズミカルに

BASIC LESSON　LESSON-1　LESSON-2　LESSON-3

Lace Motif with Beads (105～111)

LESSON-3
Edging Stitches
with Beads

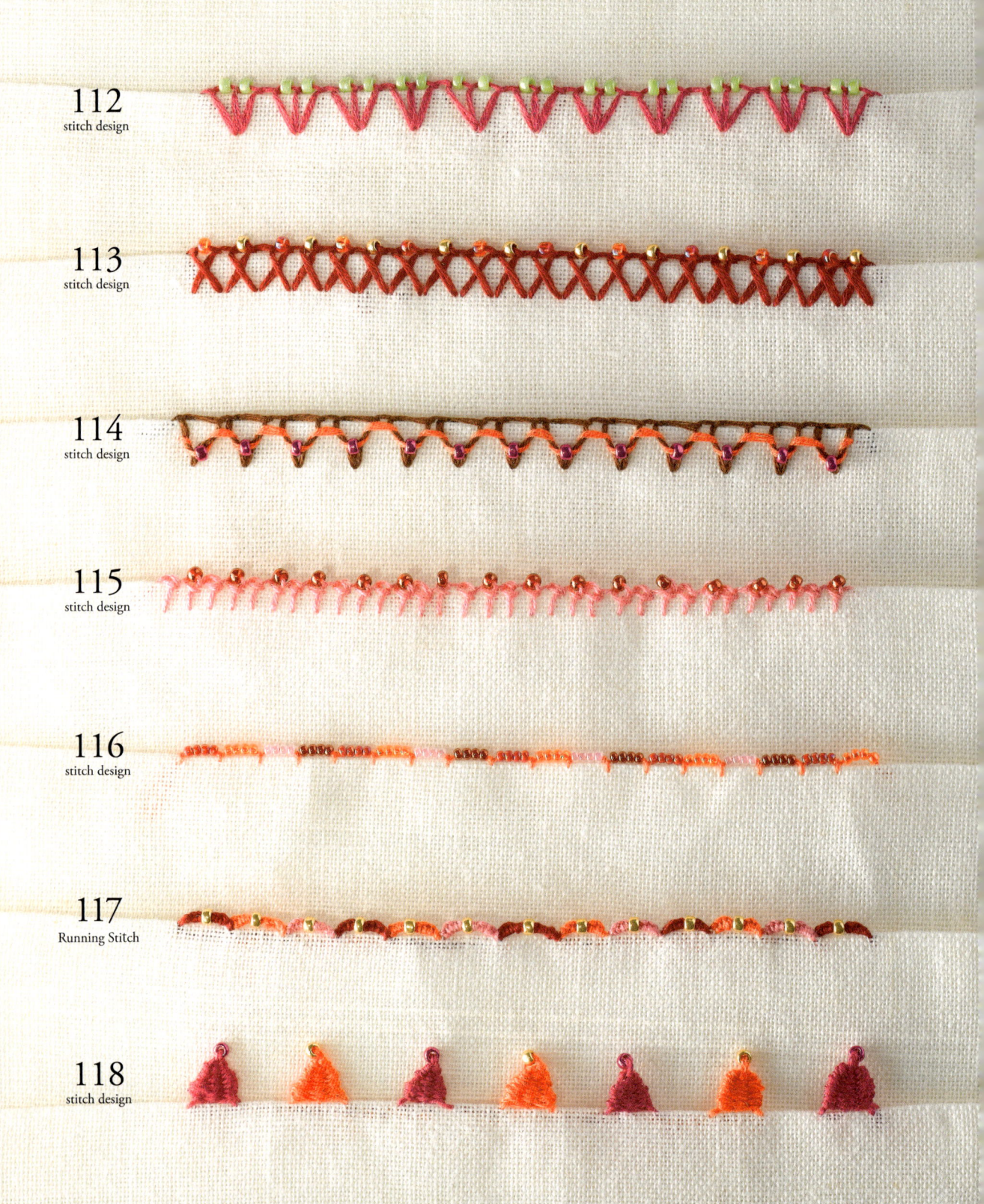

112
stitch design

113
stitch design

114
stitch design

115
stitch design

116
stitch design

117
Running Stitch

118
stitch design

How to stitch ▶P.78〜79

縁飾りのステッチにビーズを通して…

Edging Stitch
縁飾り
袖口や裾に刺せば、オンリーワンのアイテムに変身します。糸とビーズの組み合わせは無限大。ハンカチやバッグなど、雑貨にプラスしても素敵です。

113 クロスボタンホールステッチにビーズを通して

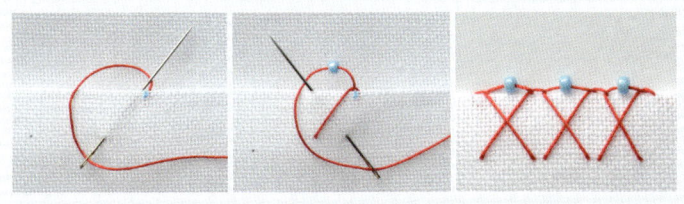

114 クローズドボタンホールステッチにビーズを通した糸を絡めて

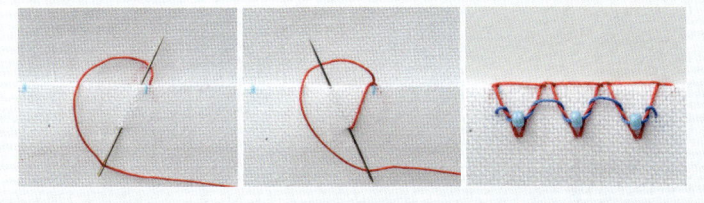

115 ボタンホールチェーンエッジングステッチにビーズを1粒通して

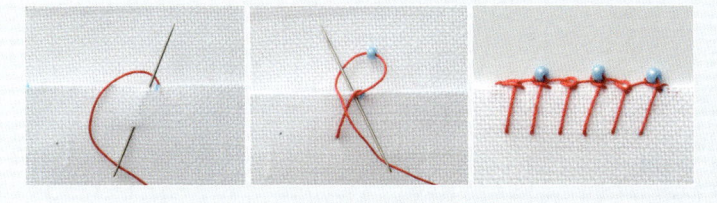

116 アルメニアンエッジングステッチにビーズを4粒ずつ通して

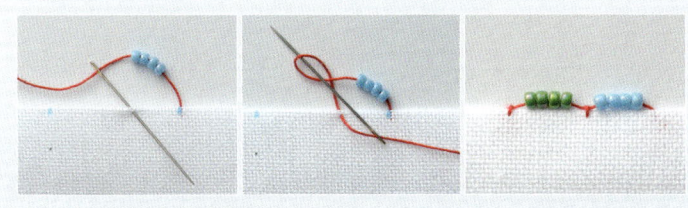

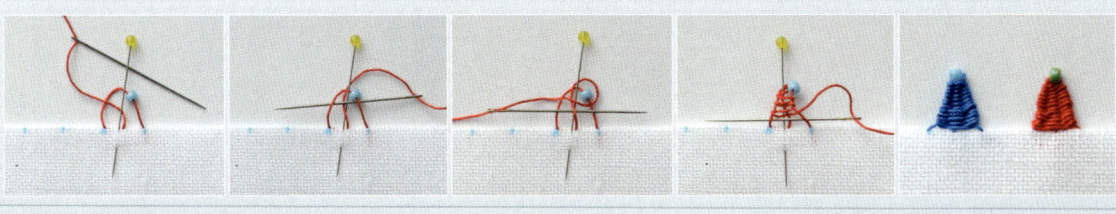

112

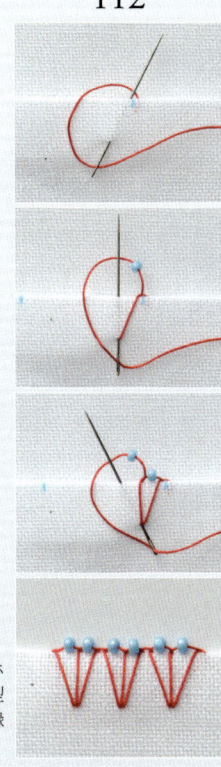

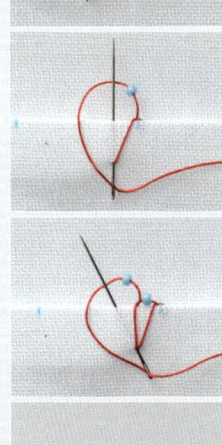

クローズドボタンホールステッチの変型にビーズを通して縁を強調

117 往復した糸を芯にしてボタンホールステッチ。1粒ビーズのピコットがかわいいアクセントに

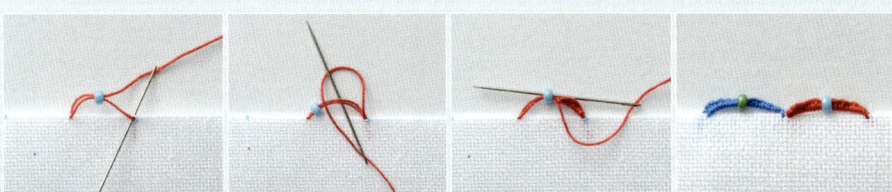

118 芯糸のループをたて糸に、織るように仕上げる立体的なウーヴァンピコット。最初の3〜4回の糸を強めに引くと、とんがり三角に

Edging Stitches with Beads (112〜118)

LESSON-3
Filling Stitches
with Beads

119
stitch design

ボタンホール
フィリング

120
stitch design

オープンボタン
ホールフィリング

121
stitch design

ノッテッドボタン
ホールフィリング

122
stitch design

セイロンステッチ

123
stitch design

レースフィリング

124
stitch design

ファンシーボタン
ホールフィリング

56

How to stitch ▶P.79〜81

フィリングステッチにビーズを通して…

Filling Stitch
フィリングステッチ

面を埋めていくステッチ。糸だけすくって絡めるステッチを中心に、ニットのような質感が楽しめます。ポイントのビーズで、いろいろな表情に変化します。

Tシャツ：〈stitch design120〉麻糸（ラミー）手縫い糸中細（ナチュラル）／マガ玉ビーズ 5mm M248（青）、マガ玉ビーズ 4mm M07（緑）、M01（透明）、丸大ビーズ 23（水色）、21（銀）

120 バックステッチの要領でループを作り、ビーズを通しながら、糸だけすくって絡めていきます

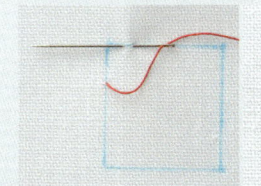

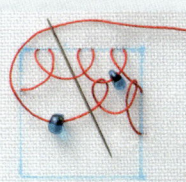

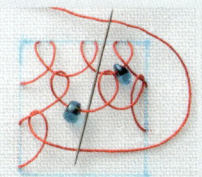

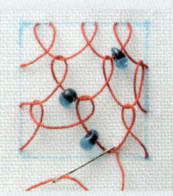

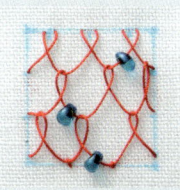

57　Filling Stitches with Beads (119〜124)

LESSON-3
One Point Motif
with Beads

125 stitch design
126 stitch design
127 stitch design
128 stitch design
129 stitch design
130 stitch design

How to stitch ▶P.87

ビーズやスパングルが映えるワンポイントモチーフ

One Point Motif
ワンポイントモチーフ
同じモチーフでも、糸やビーズの組み合わせを変えるだけで、ガラリと印象が変わって楽しめます。形がきれいに整うように、チャコペンなどで印をつけて。

BASIC LESSON　LESSON-1　LESSON-2　LESSON-3

キャミソール：〈stitch design129〉スパングル亀甲 5mm　502（緑）、二分竹 27（緑）、一分竹 27（緑）、丸小ビーズ 557（金）〈stitch design129〉スパングル亀甲 5mm　504（青）、二分竹 23（青）、一分竹 23（青）、丸小ビーズ 557（金）〈stitch design130〉スパングル亀甲 5mm　502（緑）,504（青）、一分竹 22（金）、丸小ビーズ 557（金）※糸すべてミシン糸 60番（白・2本どり）

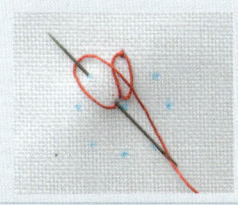

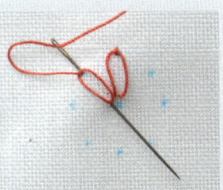

128　竹ビーズの長さで表情が変わる、レゼーデイジーステッチのお花モチーフ

One Point Motif with Beads (125〜130)

LESSON-3
Alphabet A to Z
with Beads

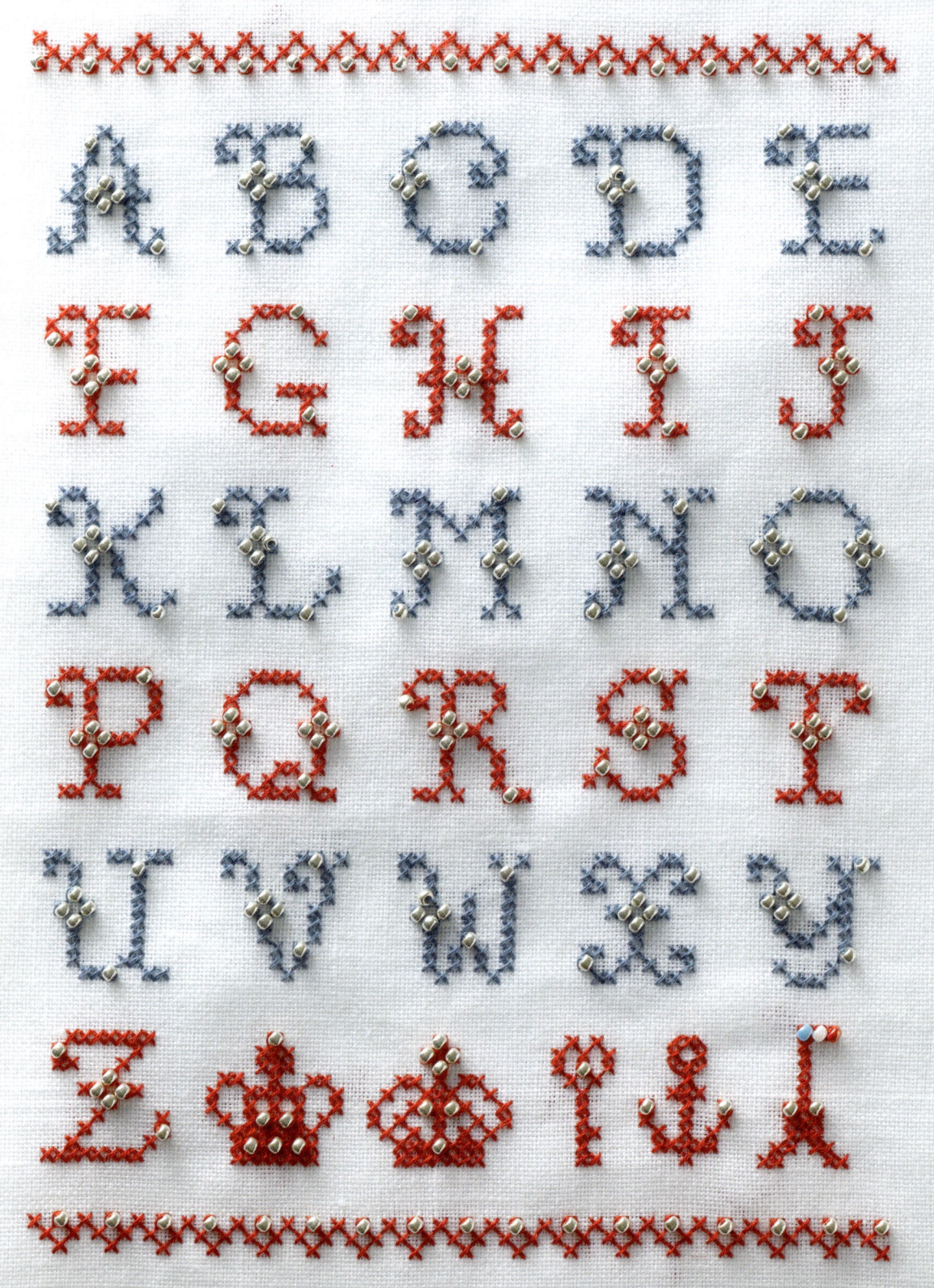

How to stitch ▶ P.64

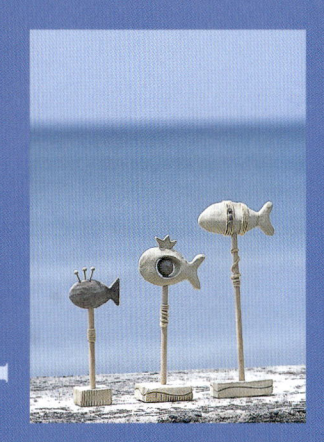

Alphabet A to Z with Beads
Nordic Motif with Beads

DESIGN CHART

スニーカー：DMC25 番 597（サックス・4 本どり）／
丸大ビーズ 23（水色）、21（銀）
スニーカーと帆布のリュックは、DMC オリジナルアル
ファベットスタンプ（P.7）を使用し、ステッチしてい
ます。ビーズの位置は P.64 を参照。

帆布のリュック：DMC25 番 517（青・4 本どり）／
丸大ビーズ 401（白）、405（赤）、〈stitch design1・5〉
DMC25 番 311（紺・4 本どり）／丸大ビーズ 401（白）

LESSON-3
Nordic Motif
with Beads

北欧モチーフのクロスステッチチャート

★25番刺繍糸（2本どり）
- 3838（濃マリンブルー）
- 3839（マリンブルー）
- 3840（淡マリンブルー）
- 322（濃サックスブルー）
- 3755（サックスブルー）
- 3841（淡サックスブルー）

★丸大ビーズ
- 559（白金）をクロスステッチをしながらつける（P.10参照）
- 559（白金）を#60ミシン糸（白・2本どり）で、クロスステッチ後につける

Nordic Motif
北欧風のモチーフ

サンプラーとして刺したり、それぞれボーダーやワンポイントにアレンジしたり。落ち着いた青のトーンに、白金のビーズで華やかさをプラスしました。

アルファベットのクロスステッチチャート

Alphabet
アルファベット A to Z

サクサク刺せる簡単な図案に、ビーズをプラスして華やかに。糸の種類やビーズの色、布目の大きさを変えて、いろいろなアイテムを楽しみましょう。

※クロスステッチの刺し方はP.10〜11参照

★25番刺繍糸（2本どり）
- 347（赤）
- 931（青）

★丸大ビーズ
クロスステッチをしながらつける（P.10参照）
- 559（白金）
- 122（白）
- 403（水色）
- 405（赤）

スリークオータースステッチ

ステッチの長さを変えることで、角に丸みをつけるなど、より細かい表現ができます。

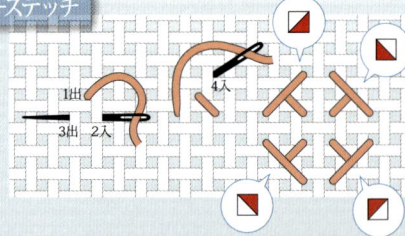

LESSON NOTE
How to Stitch with Beads

ビーズがかわいい刺繡ステッチを、プロセスイラストでわかりやすくご紹介。
針と糸と布、そしてお気に入りのビーズを用意して、さっそく始めましょう！
刺繡糸の種類と本数、ビーズのサイズの相性は下の表をご覧ください。
各サンプラーに使用した糸やビーズは裏表紙に掲載しています。

針と糸とビーズの組み合わせ

使用した糸とビーズに適した針の目安です。もちろん、糸が通せてビーズに通るものなら、お手持ちのものでも大丈夫。
基本的にはフランス刺しゅう針を使用していますが、カットソーやTシャツなど、伸縮性のあるニット素材には針先が丸いタイプがおすすめです。

針		糸	ビーズ
フランス刺しゅう針	No.9	刺繡糸 25番（2〜3本どり）	丸小ビーズ・竹ビーズ
	No.8	刺繡糸 25番（3〜4本どり）・12番・8番	丸小ビーズ・竹ビーズ
	No.7	刺繡糸 25番（2〜4本どり）・8番・5番	丸大ビーズ
	No.6	刺繡糸 25番（3〜4本どり）・5番・クルーエルウール・麻糸	丸大ビーズ・マガ玉ビーズ
刺しゅう針先丸タイプ	0.53mm	刺繡糸 25番（2本どり）	丸小ビーズ
	0.69mm	刺繡糸 25番（2〜4本どり）・12番	丸小ビーズ
	0.84mm	刺繡糸 25番（4本どり）・12番・8番・5番	丸大ビーズ
クロスステッチ針	No.23	刺繡糸 25番（2〜3本どり）	丸大ビーズ
	No.22	刺繡糸 25番（3〜4本どり）	丸大ビーズ
ビーズ刺しゅう針・縫い針		ミシン糸	丸小ビーズ・丸大ビーズ・スパングル

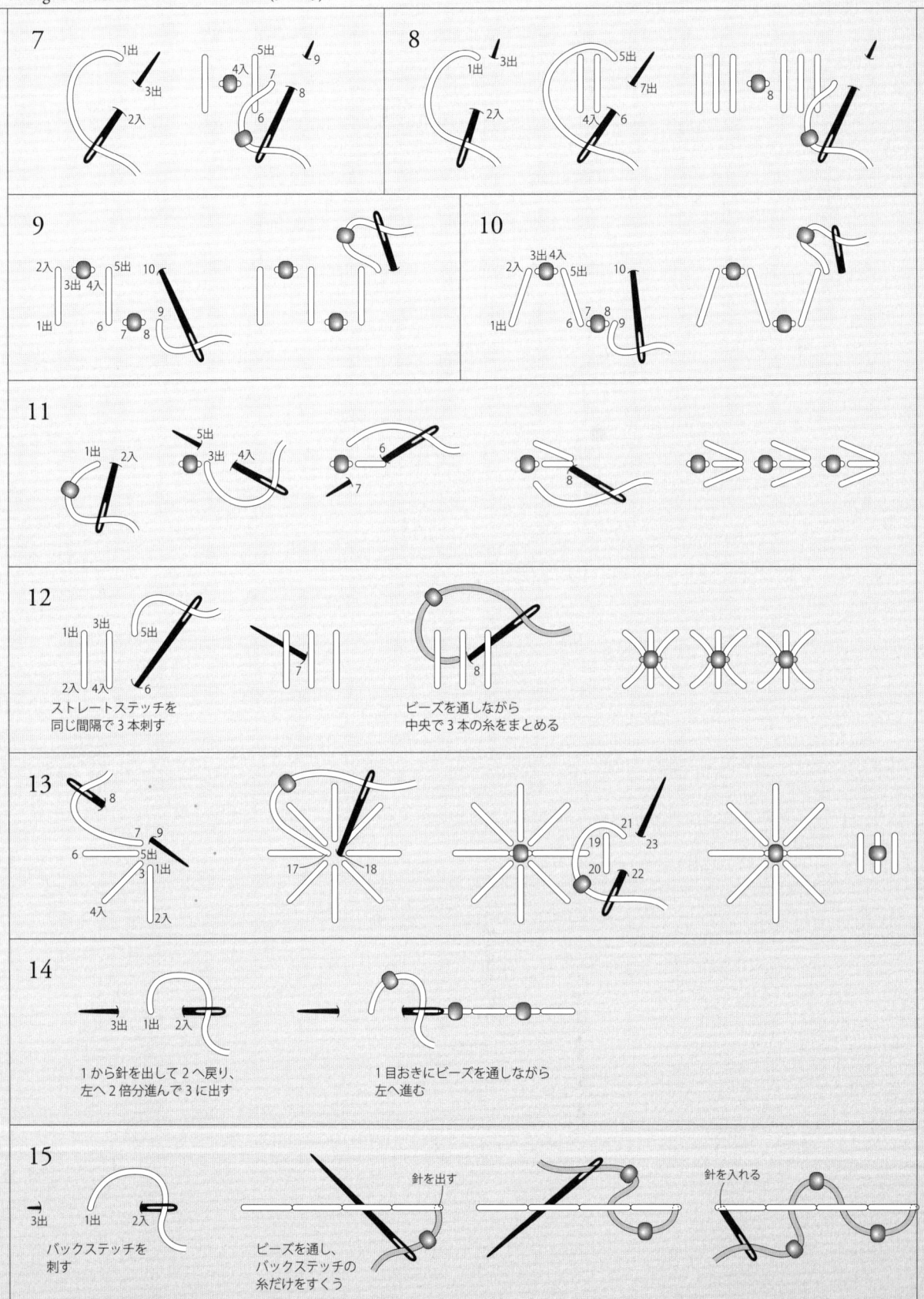

Straight / Back Stitches with Beads (7〜15)

12
ストレートステッチを
同じ間隔で3本刺す

ビーズを通しながら
中央で3本の糸をまとめる

14
1から針を出して2へ戻り、
左へ2倍分進んで3に出す

1目おきにビーズを通しながら
左へ進む

15
バックステッチを
刺す

ビーズを通し、
バックステッチの
糸だけをすくう

針を出す

針を入れる

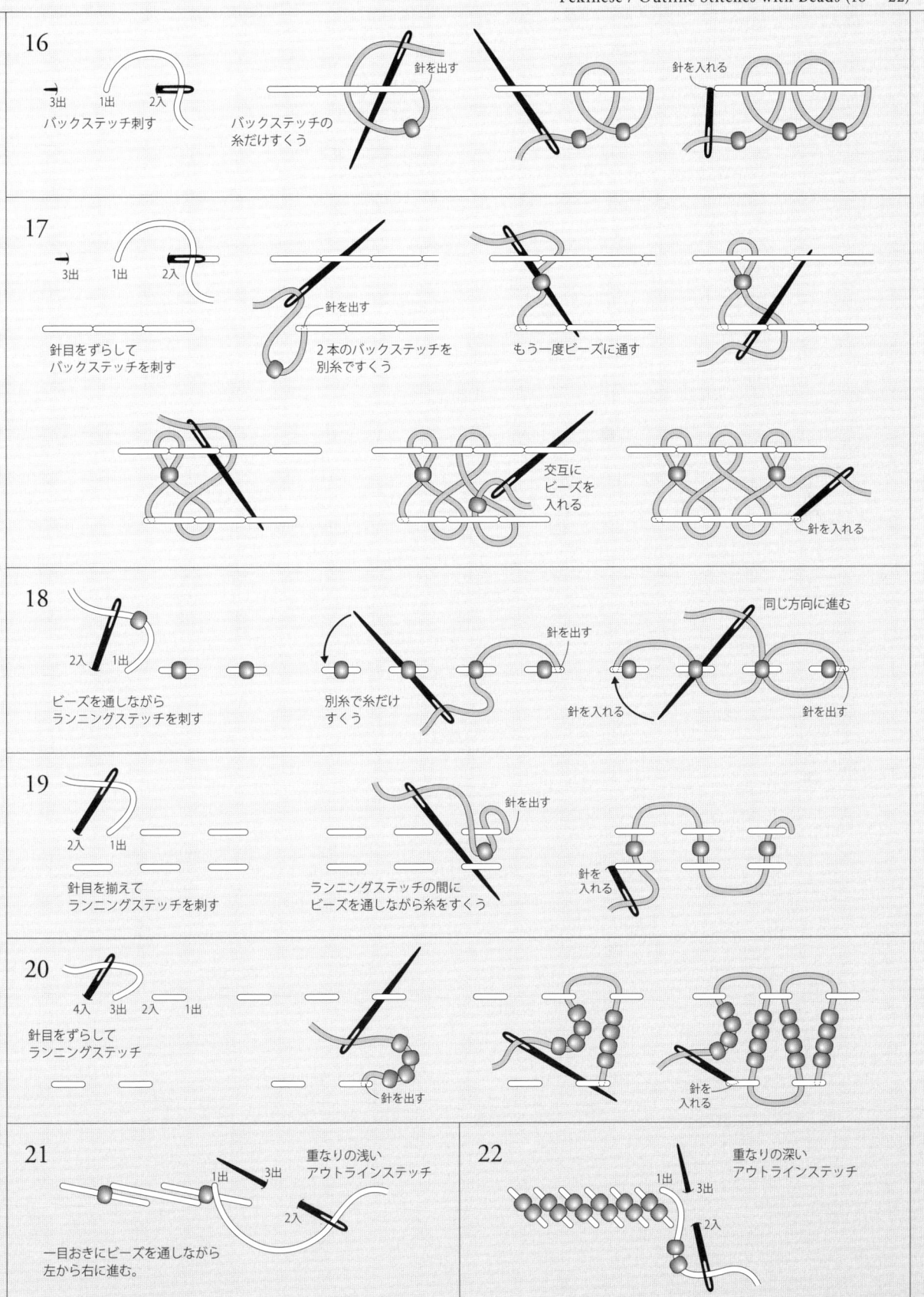

Pekinese / Outline Stitches with Beads (16〜22)

16
3出 1出 2入
バックステッチ刺す
針を出す
バックステッチの糸だけすくう
針を入れる

17
3出 1出 2入
針目をずらしてバックステッチを刺す
針を出す
2本のバックステッチを別糸ですくう
もう一度ビーズに通す
交互にビーズを入れる
針を入れる

18
2入 1出
ビーズを通しながらランニングステッチを刺す
別糸で糸だけすくう
針を出す
針を入れる
同じ方向に進む
針を出す

19
2入 1出
針目を揃えてランニングステッチを刺す
針を出す
ランニングステッチの間にビーズを通しながら糸をすくう
針を入れる

20
4入 3出 2入 1出
針目をずらしてランニングステッチ
針を出す
針を入れる

21
1出 3出
2入
一目おきにビーズを通しながら左から右に進む。
重なりの浅いアウトラインステッチ

22
1出 3出
2入
重なりの深いアウトラインステッチ

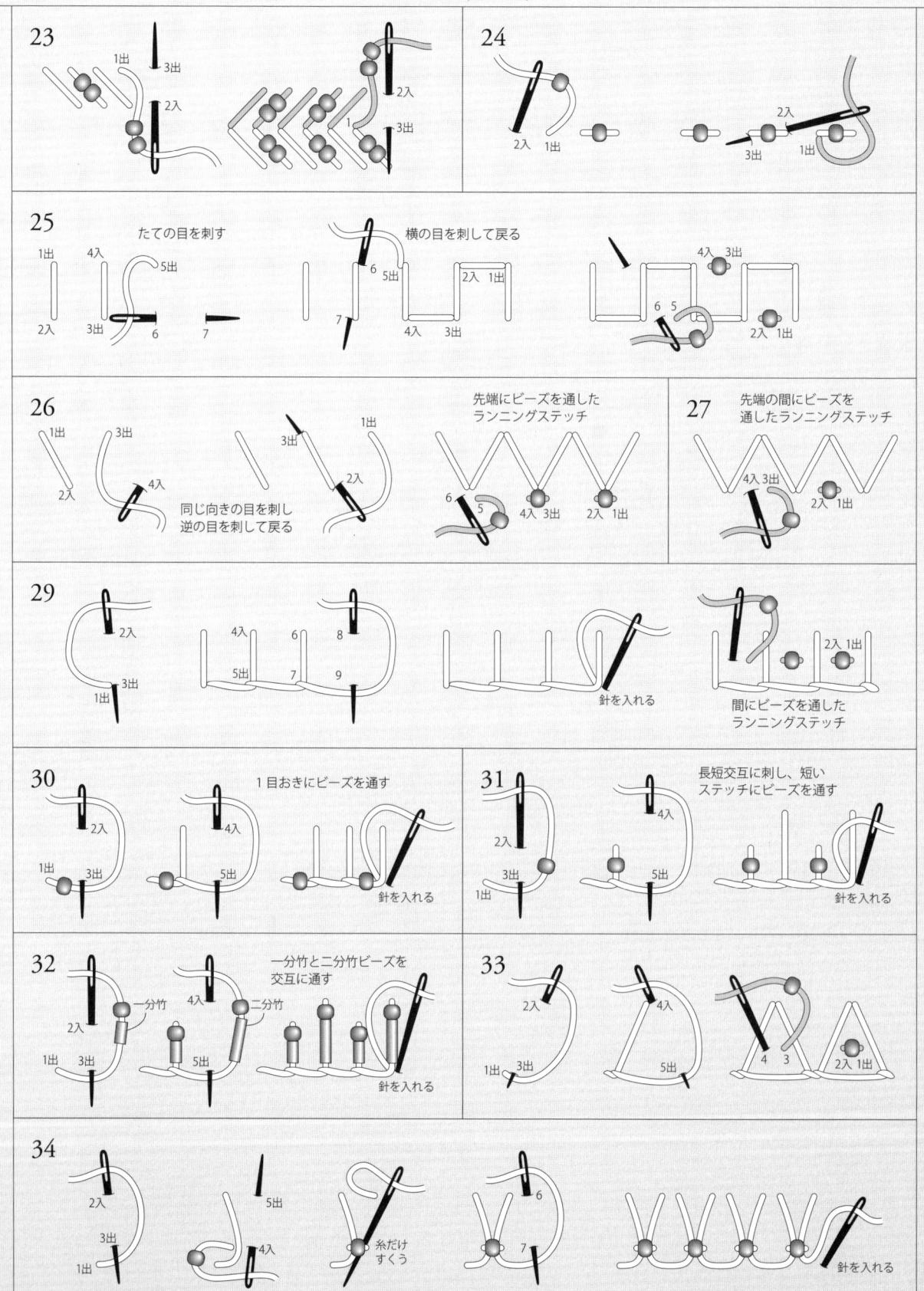

Outline / Holbein / Blanket / Buttonhole Stitches with Beads (23〜34)

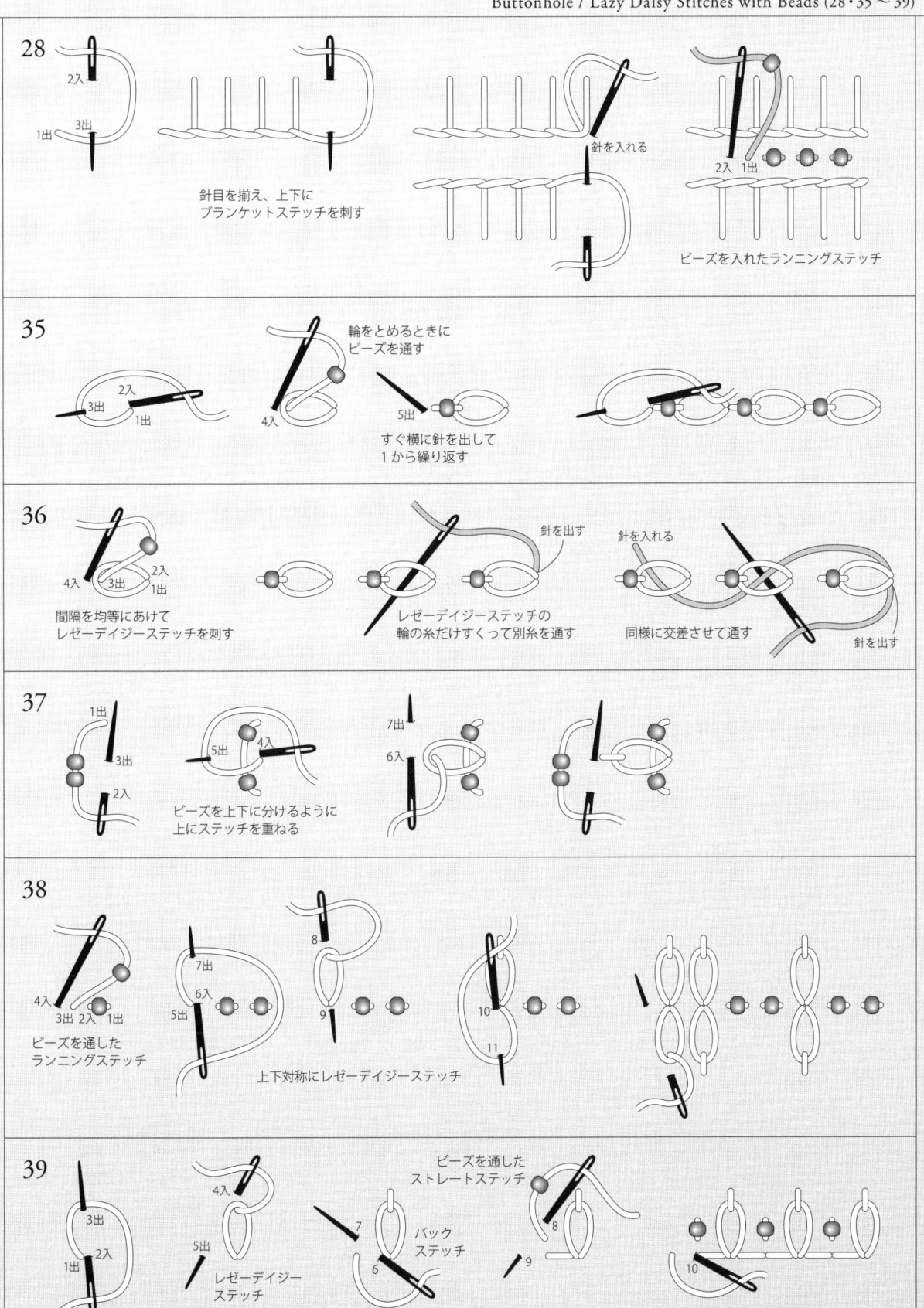

Buttonhole / Lazy Daisy Stitches with Beads (28・35〜39)

28
針目を揃え、上下に
ブランケットステッチを刺す

針を入れる

ビーズを入れたランニングステッチ

35
輪をとめるときに
ビーズを通す

すぐ横に針を出して
1から繰り返す

36
間隔を均等にあけて
レゼーデイジーステッチを刺す

針を出す

レゼーデイジーステッチの
輪の糸だけすくって別糸を通す

同様に交差させて通す

針を入れる

針を出す

37
ビーズを上下に分けるように
上にステッチを重ねる

38
ビーズを通した
ランニングステッチ

上下対称にレゼーデイジーステッチ

39
レゼーデイジー
ステッチ

バック
ステッチ

ビーズを通した
ストレートステッチ

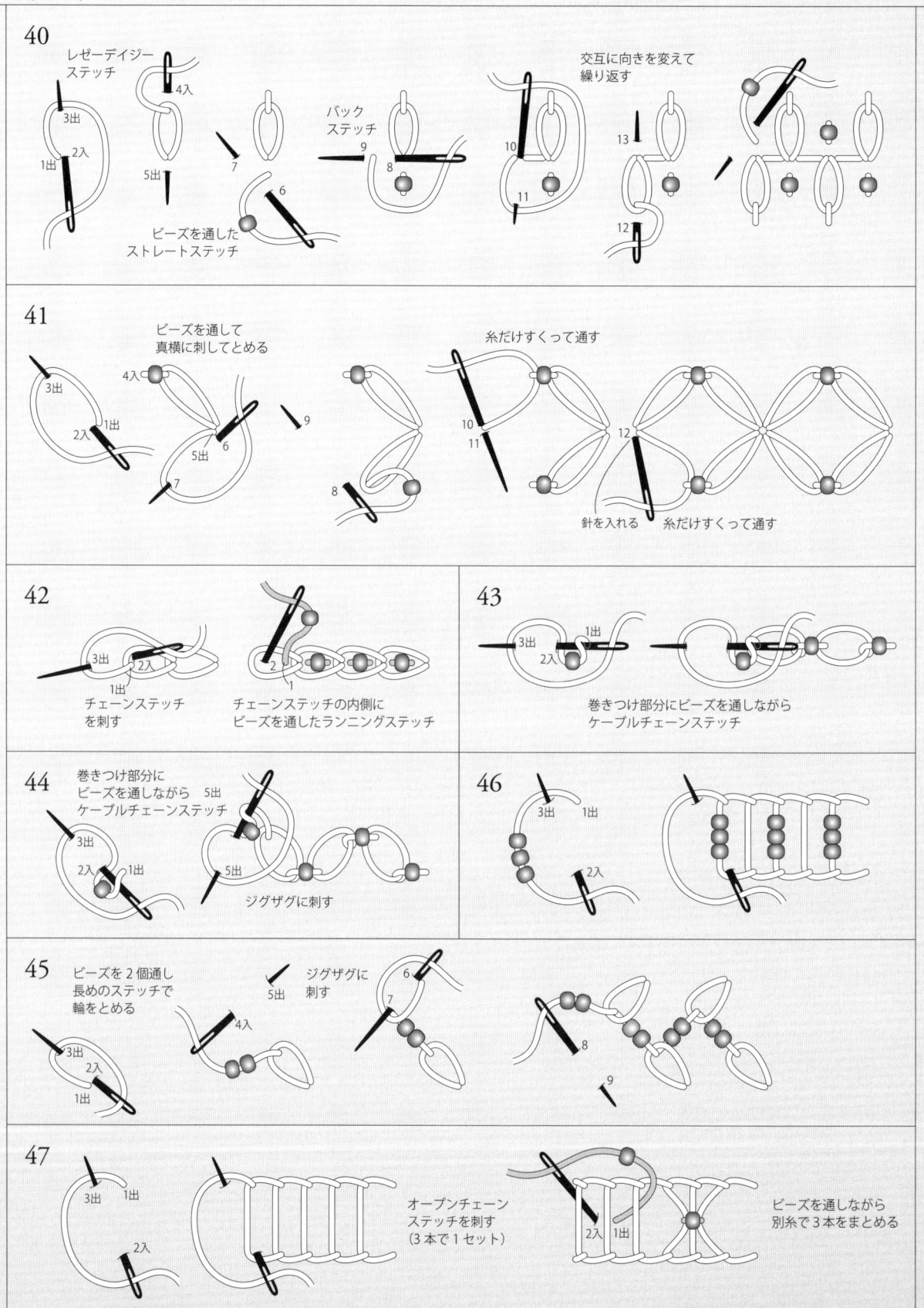

Lazy Daisy / Chain Stitches with Beads (40～47)

40 レゼーデイジーステッチ / ビーズを通したストレートステッチ / バックステッチ / 交互に向きを変えて繰り返す

41 ビーズを通して真横に刺してとめる / 糸だけすくって通す / 針を入れる / 糸だけすくって通す

42 チェーンステッチを刺す / チェーンステッチの内側にビーズを通したランニングステッチ

43 巻きつけ部分にビーズを通しながらケーブルチェーンステッチ

44 巻きつけ部分にビーズを通しながらケーブルチェーンステッチ / ジグザグに刺す

45 ビーズを2個通し長めのステッチで輪をとめる / ジグザグに刺す

46

47 オープンチェーンステッチを刺す（3本で1セット） / ビーズを通しながら別糸で3本をまとめる

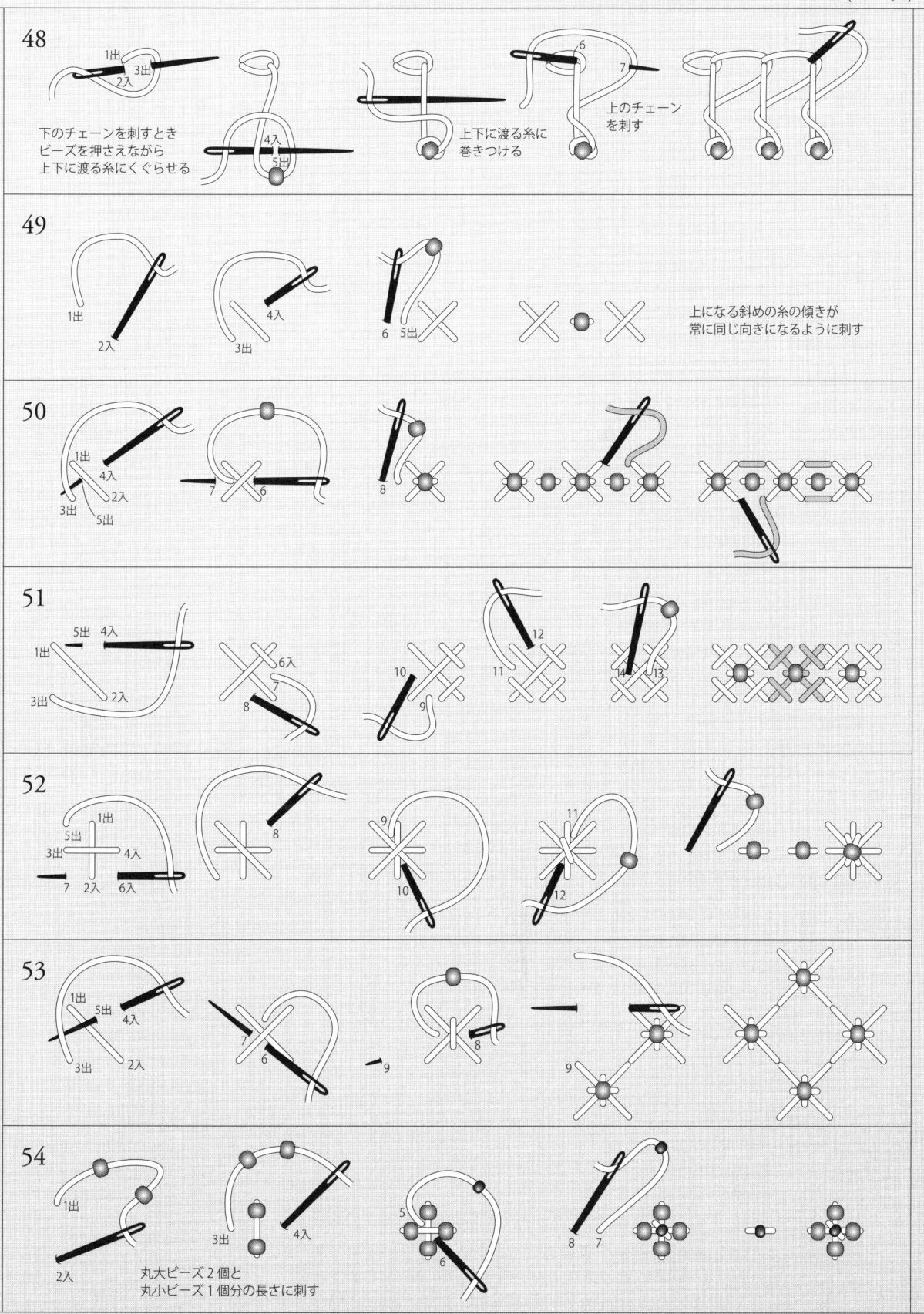

Chain / Cross Stitches with Beads (48〜54)

48
下のチェーンを刺すとき
ビーズを押さえながら
上下に渡る糸にくぐらせる

上下に渡る糸に
巻きつける

上のチェーン
を刺す

49
上になる斜めの糸の傾きが
常に同じ向きになるように刺す

50

51

52

53

54
丸大ビーズ2個と
丸小ビーズ1個分の長さに刺す

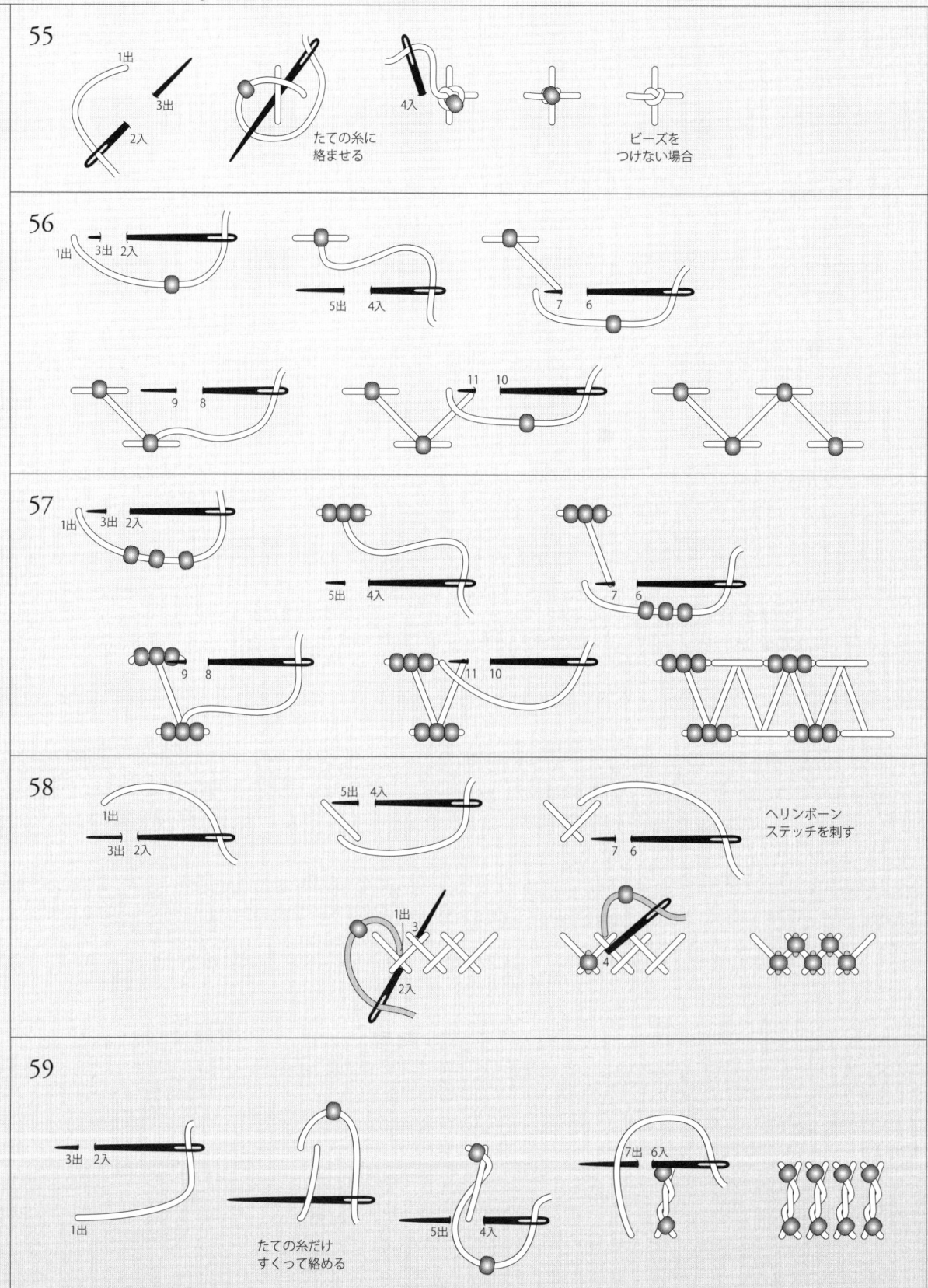

Cross / Chevron / Herringbone Stitches with Beads (55〜59)

55
- 1出, 2入, 3出, 4入
- たての糸に絡ませる
- ビーズをつけない場合

56
- 1出, 2入, 3出, 4入, 5出, 6, 7, 8, 9, 10, 11

57
- 1出, 2入, 3出, 4入, 5出, 6, 7, 8, 9, 10, 11

58
- 1出, 2入, 3出, 4入, 5出, 6, 7
- ヘリンボーンステッチを刺す
- 1, 2入, 3, 4

59
- 1出, 2入, 3出, 4入, 5出, 6入, 7出
- たての糸だけすくって絡める

72

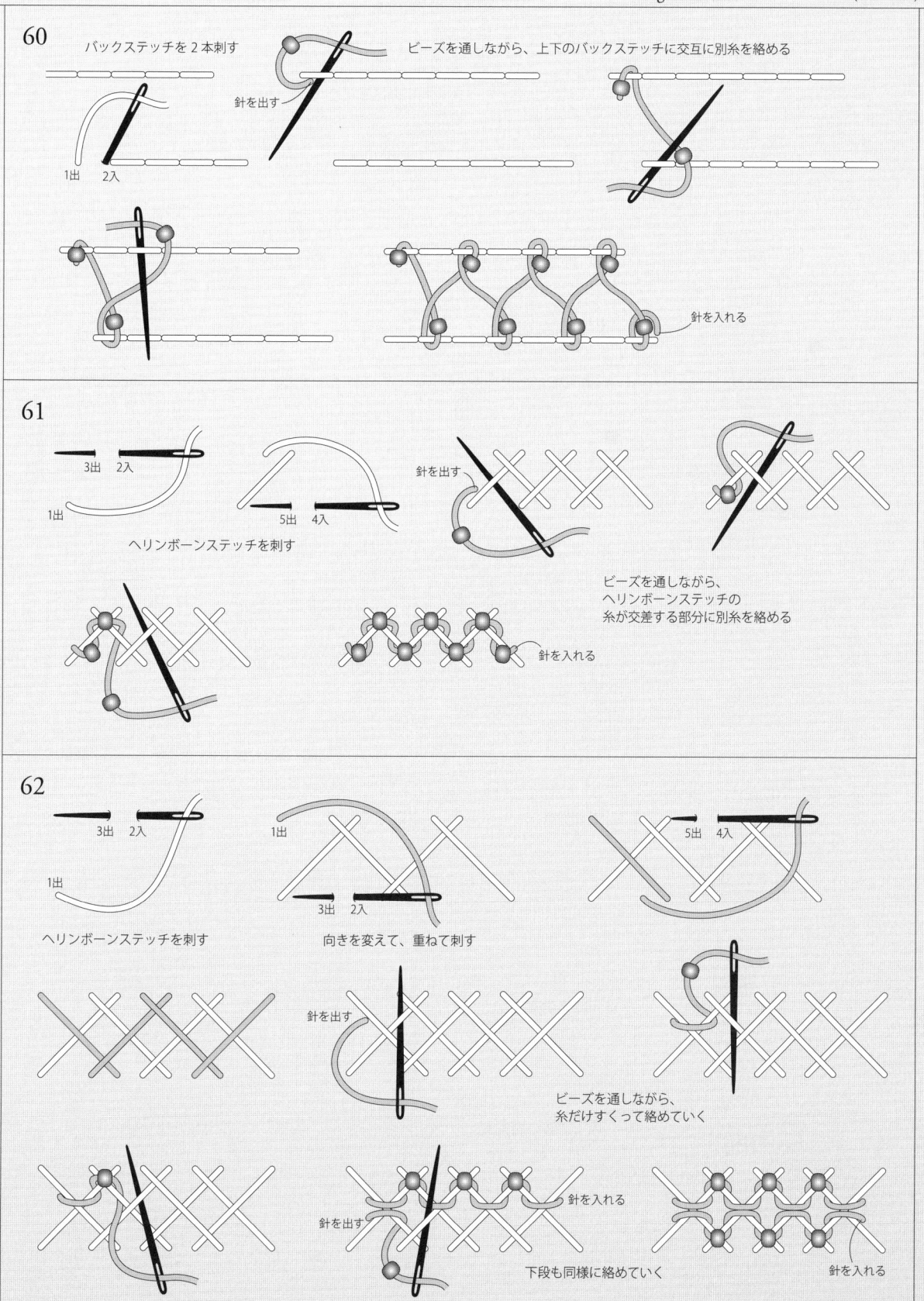

Herringbone Stitches with Beads (60～62)

60
バックステッチを2本刺す　　ビーズを通しながら、上下のバックステッチに交互に別糸を絡める
1出　2入　　針を出す　　　　　　　　　　　　　　　　　　　　　　　　　　　針を入れる

61
3出　2入
1出　　　5出　4入
ヘリンボーンステッチを刺す
針を出す
ビーズを通しながら、ヘリンボーンステッチの糸が交差する部分に別糸を絡める
針を入れる

62
3出　2入
1出
ヘリンボーンステッチを刺す
1出
3出　2入
向きを変えて、重ねて刺す
5出　4入
針を出す
ビーズを通しながら、糸だけすくって絡めていく
針を出す　針を入れる
下段も同様に絡めていく　　針を入れる

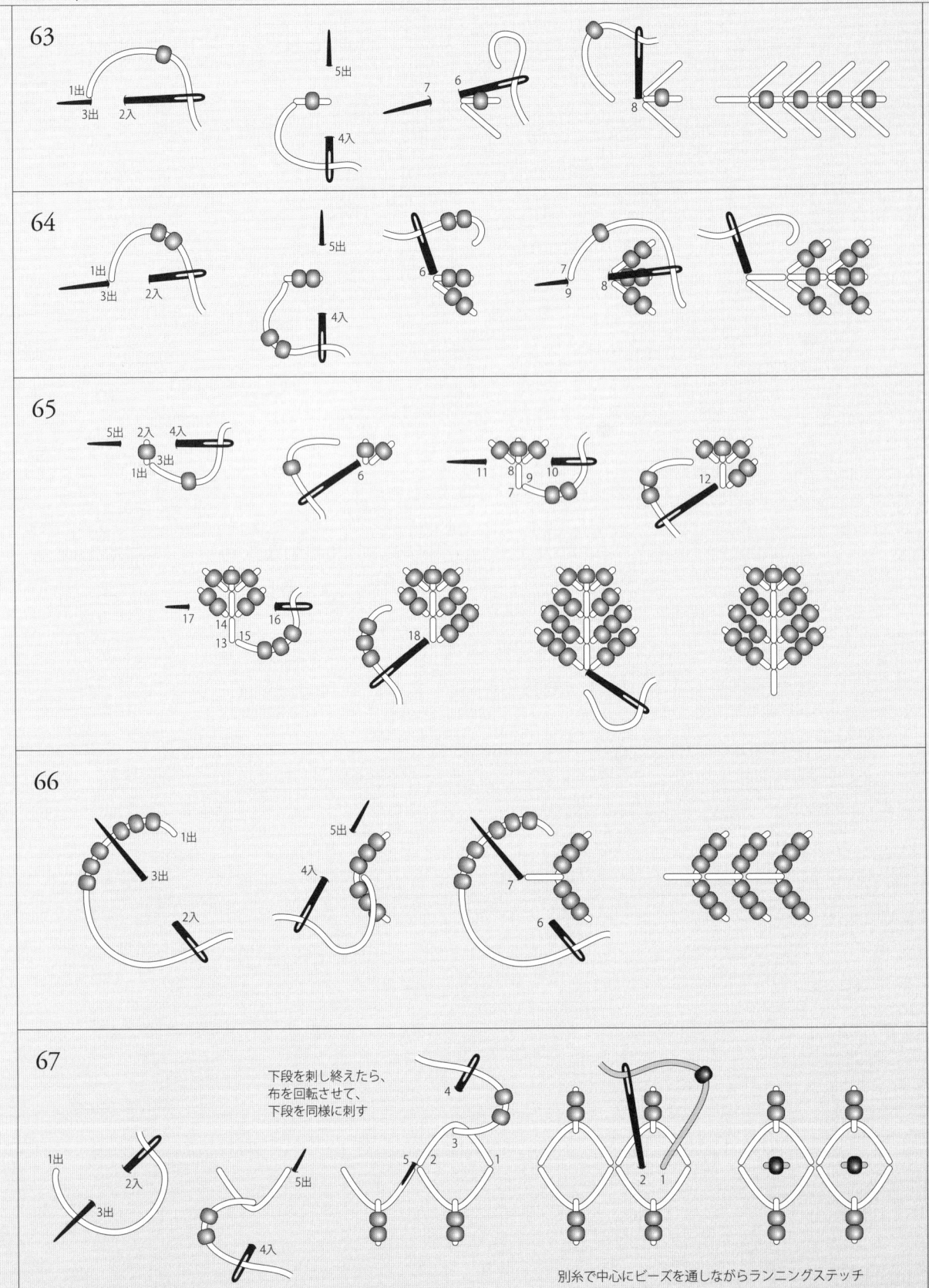

Fern / Fly Stitches with Beads (63 ~ 67)

63

1出　3出　2入
5出　4入
7　6
8

64

1出　3出　2入
5出　4入
6
9　8

65

5出　2入　4入
1出　3出
6
11　8　10
7　9
12
17　14　16
13　15
18

66

1出　3出
2入
5出　4入
7
6

67

1出　2入　3入
4入　5出
下段を刺し終えたら、布を回転させて、下段を同様に刺す
4
5　2　3　1
2　1

別糸で中心にビーズを通しながらランニングステッチ

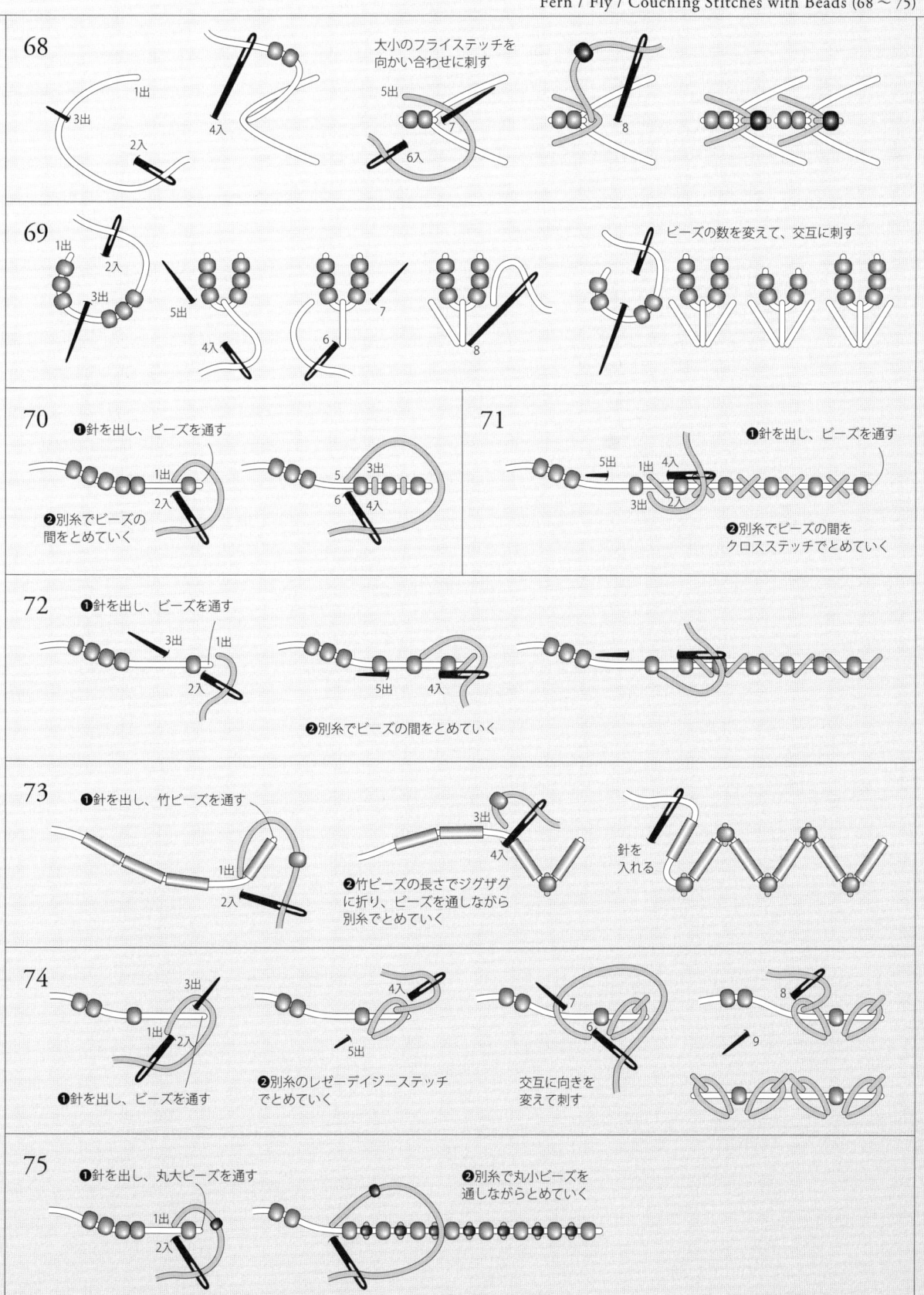

Fern / Fly / Couching Stitches with Beads (68〜75)

68
1出 / 2入 / 3出 / 4入 / 大小のフライステッチを向かい合わせに刺す / 5出 / 6入 / 7 / 8

69
1出 / 2入 / 3出 / 4入 / 5出 / 6 / 7 / 8 / ビーズの数を変えて、交互に刺す

70
❶針を出し、ビーズを通す / 1出 / 2入 / 3出 / 4入 / 5 / 6
❷別糸でビーズの間をとめていく

71
❶針を出し、ビーズを通す / 5出 / 1出 / 4入 / 3出 / 2入
❷別糸でビーズの間をクロスステッチでとめていく

72
❶針を出し、ビーズを通す / 1出 / 2入 / 3出 / 4入 / 5出
❷別糸でビーズの間をとめていく

73
❶針を出し、竹ビーズを通す / 1出 / 2入 / 3出 / 4入 / 針を入れる
❷竹ビーズの長さでジグザグに折り、ビーズを通しながら別糸でとめていく

74
❶針を出し、ビーズを通す / 1出 / 2入 / 3出 / 4入 / 5出 / 6 / 7 / 8 / 9
❷別糸のレゼーデイジーステッチでとめていく / 交互に向きを変えて刺す

75
❶針を出し、丸大ビーズを通す / 1出 / 2入
❷別糸で丸小ビーズを通しながらとめていく

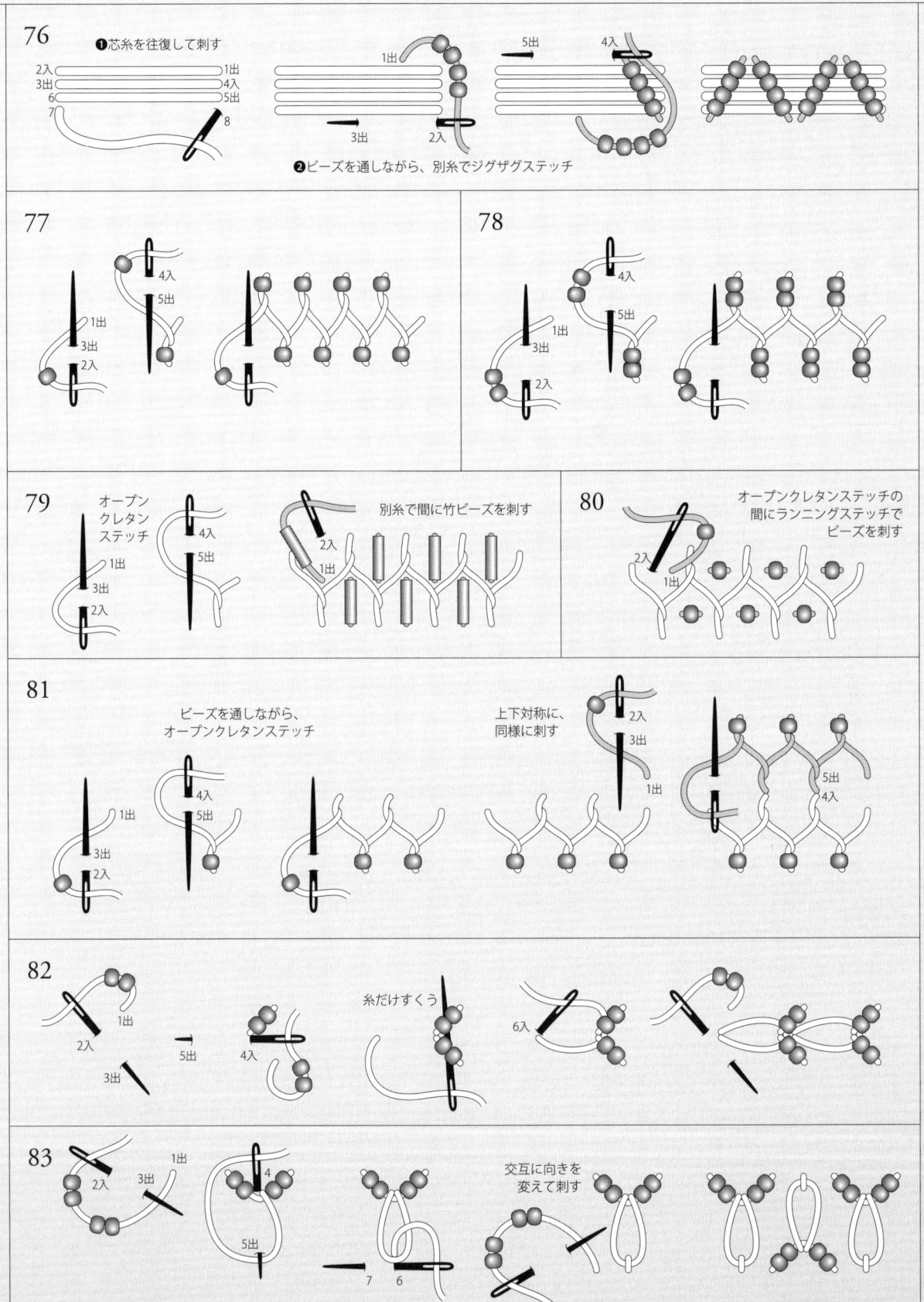

Couching / Open Cretan Stitches with Beads (76〜83)

76 ❶芯糸を往復して刺す
❷ビーズを通しながら、別糸でジグザグステッチ

77

78

79 オープンクレタンステッチ
別糸で間に竹ビーズを刺す

80 オープンクレタンステッチの間にランニングステッチでビーズを刺す

81 ビーズを通しながら、オープンクレタンステッチ
上下対称に、同様に刺す

82 糸だけすくう

83 交互に向きを変えて刺す

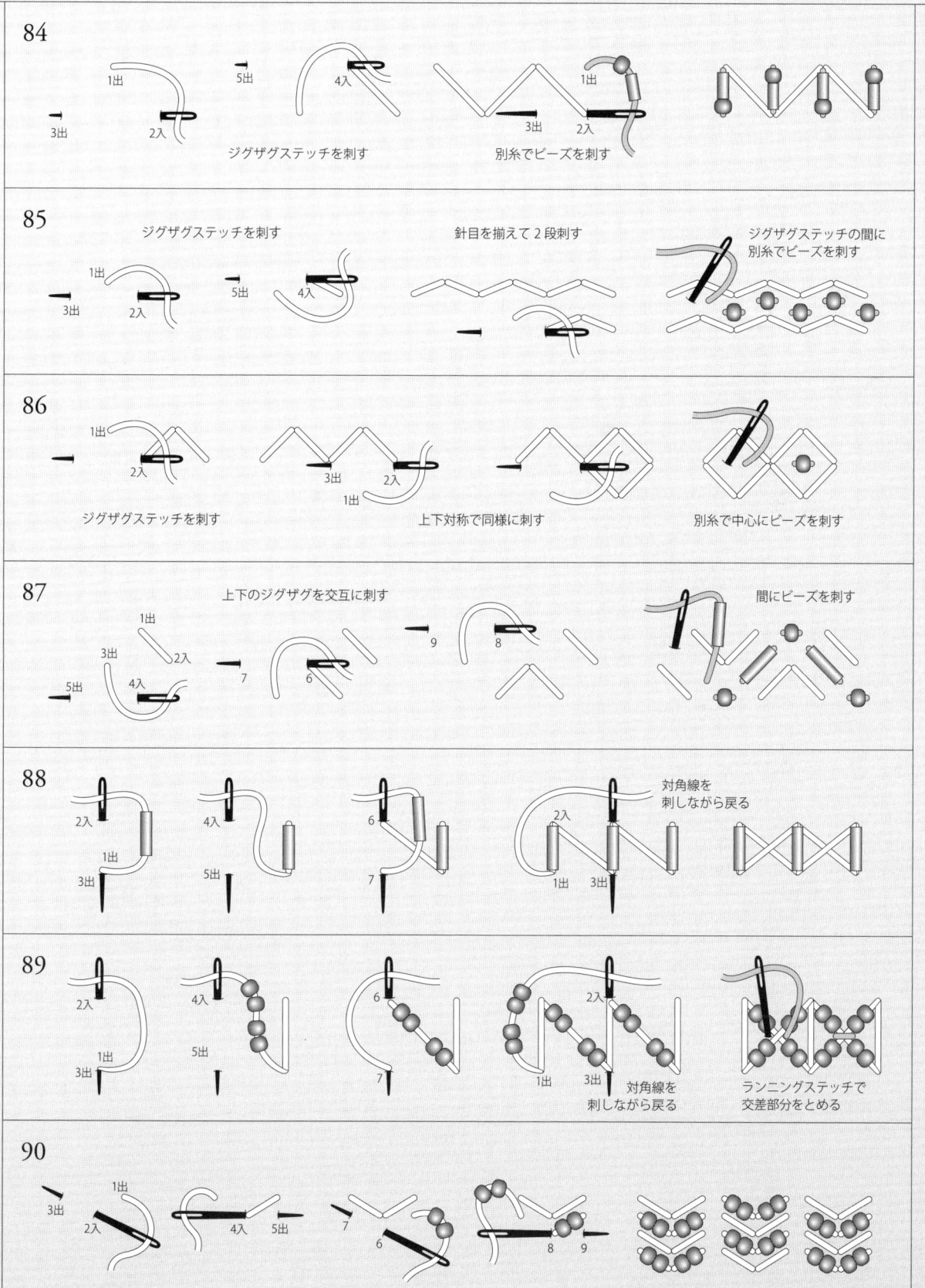

Zigzag Stitches with Beads (84〜90)

84	ジグザグステッチを刺す　　別糸でビーズを刺す
85	ジグザグステッチを刺す　　針目を揃えて2段刺す　　ジグザグステッチの間に別糸でビーズを刺す
86	ジグザグステッチを刺す　　上下対称で同様に刺す　　別糸で中心にビーズを刺す
87	上下のジグザグを交互に刺す　　間にビーズを刺す
88	対角線を刺しながら戻る
89	対角線を刺しながら戻る　　ランニングステッチで交差部分をとめる
90	

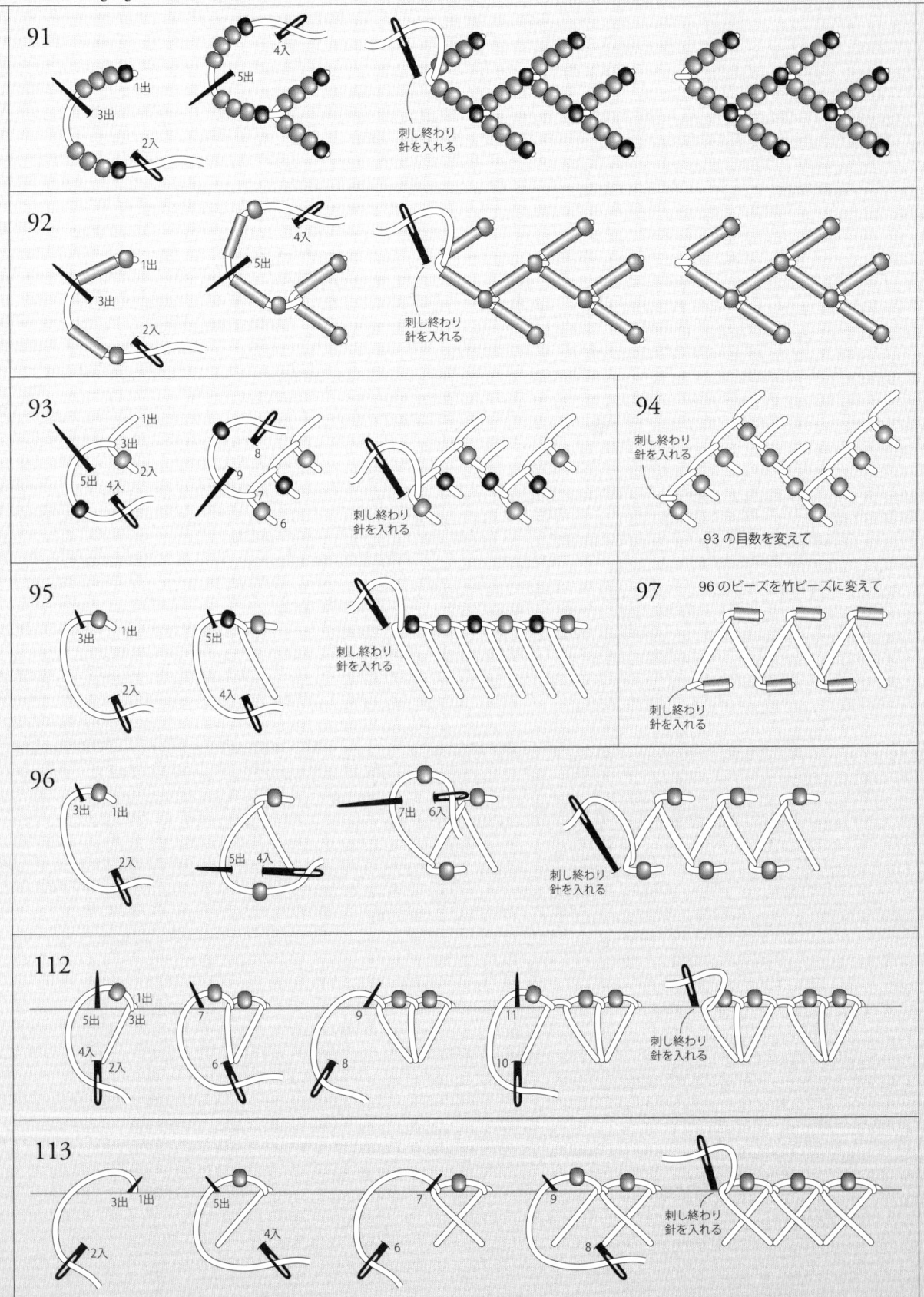

Feather / Edging Stitches with Beads (91〜97・112〜113)

刺し終わり針を入れる

93の目数を変えて

96のビーズを竹ビーズに変えて

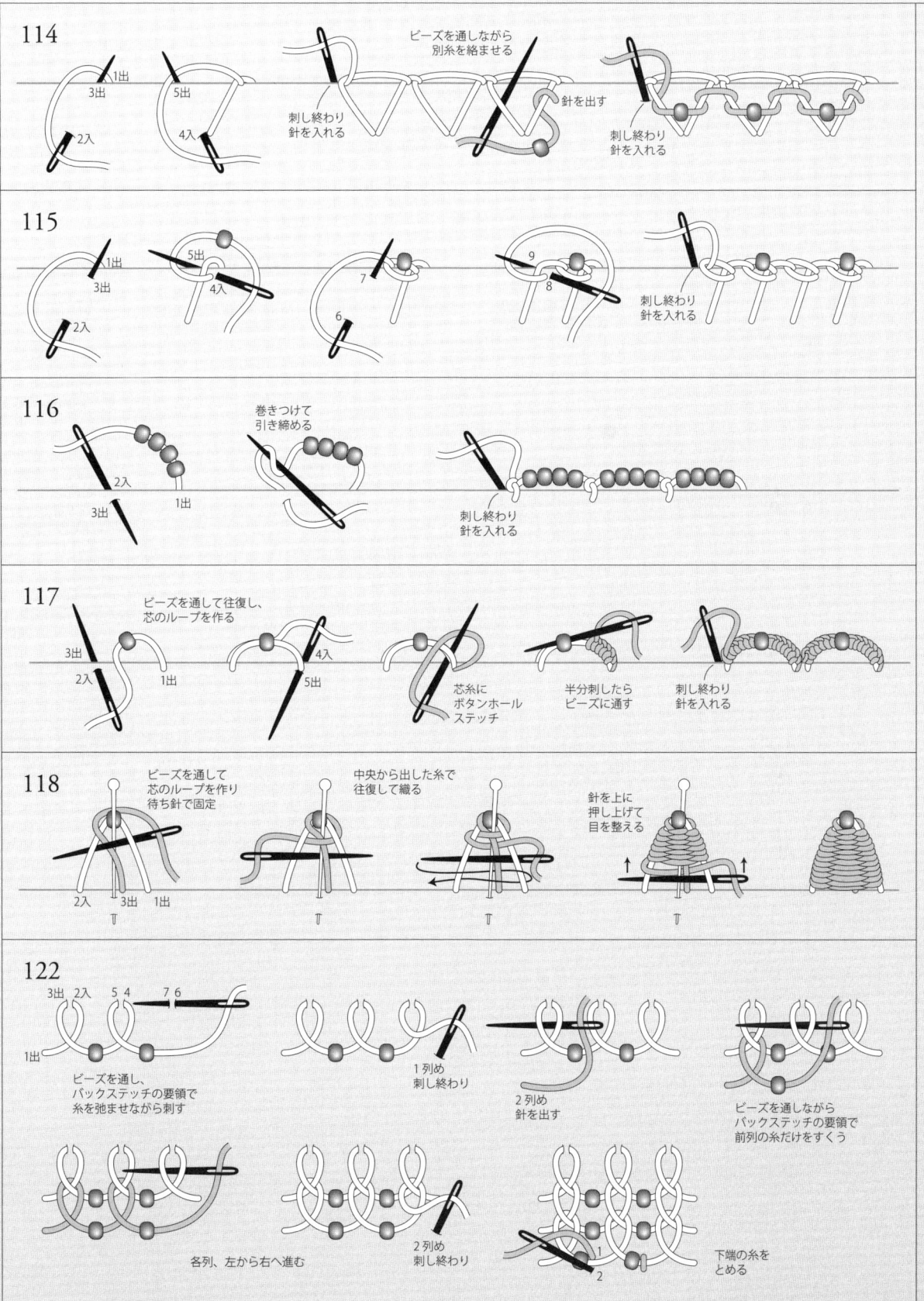

Edging / Filling Stitches with Beads (114〜118・122)

114
1出 3出 5出
2入 4入
ビーズを通しながら別糸を絡ませる
刺し終わり針を入れる
針を出す
刺し終わり針を入れる

115
1出 3出 5出
2入 4入
6 7
8 9
刺し終わり針を入れる

116
1出 2入 3出
巻きつけて引き締める
刺し終わり針を入れる

117
1出 2入 3出 4入 5出
ビーズを通して往復し、芯のループを作る
芯糸にボタンホールステッチ
半分刺したらビーズに通す
刺し終わり針を入れる

118
1出 2入 3出
ビーズを通して芯のループを作り待ち針で固定
中央から出した糸で往復して織る
針を上に押し上げて目を整える

122
1出 2入 3出 4 5 6 7
ビーズを通し、バックステッチの要領で糸を弛ませながら刺す
1列め刺し終わり
2列め針を出す
ビーズを通しながらバックステッチの要領で前列の糸だけをすくう
各列、左から右へ進む
2列め刺し終わり
1 2
下端の糸をとめる

79

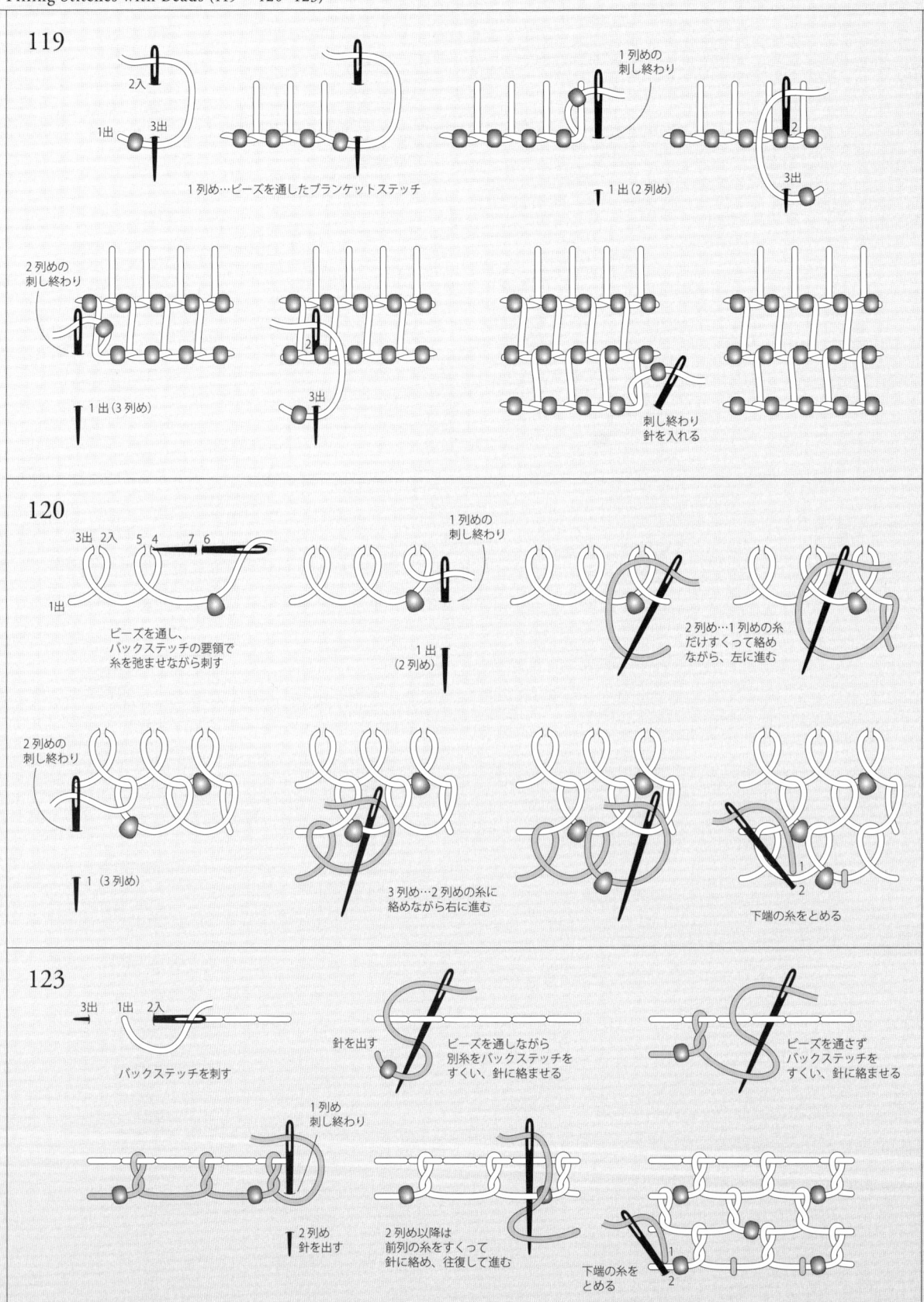

Filling Stitches with Beads (119〜120・123)

119

2入　1出　3出

1列め…ビーズを通したブランケットステッチ

1出（2列め）

3出

2列めの刺し終わり

1出（3列め）

3出

刺し終わり
針を入れる

120

1出　3出　2入　5　4　7　6

ビーズを通し、バックステッチの要領で糸を弛ませながら刺す

1列めの刺し終わり

1出（2列め）

2列め…1列めの糸だけすくって絡めながら、左に進む

2列めの刺し終わり

1（3列め）

3列め…2列めの糸に絡めながら右に進む

下端の糸をとめる

123

3出　1出　2入

バックステッチを刺す

針を出す

ビーズを通しながら別糸をバックステッチをすくい、針に絡ませる

ビーズを通さずバックステッチをすくい、針に絡ませる

1列めの刺し終わり

2列め　針を出す

2列め以降は前列の糸をすくって針に絡め、往復して進む

下端の糸をとめる

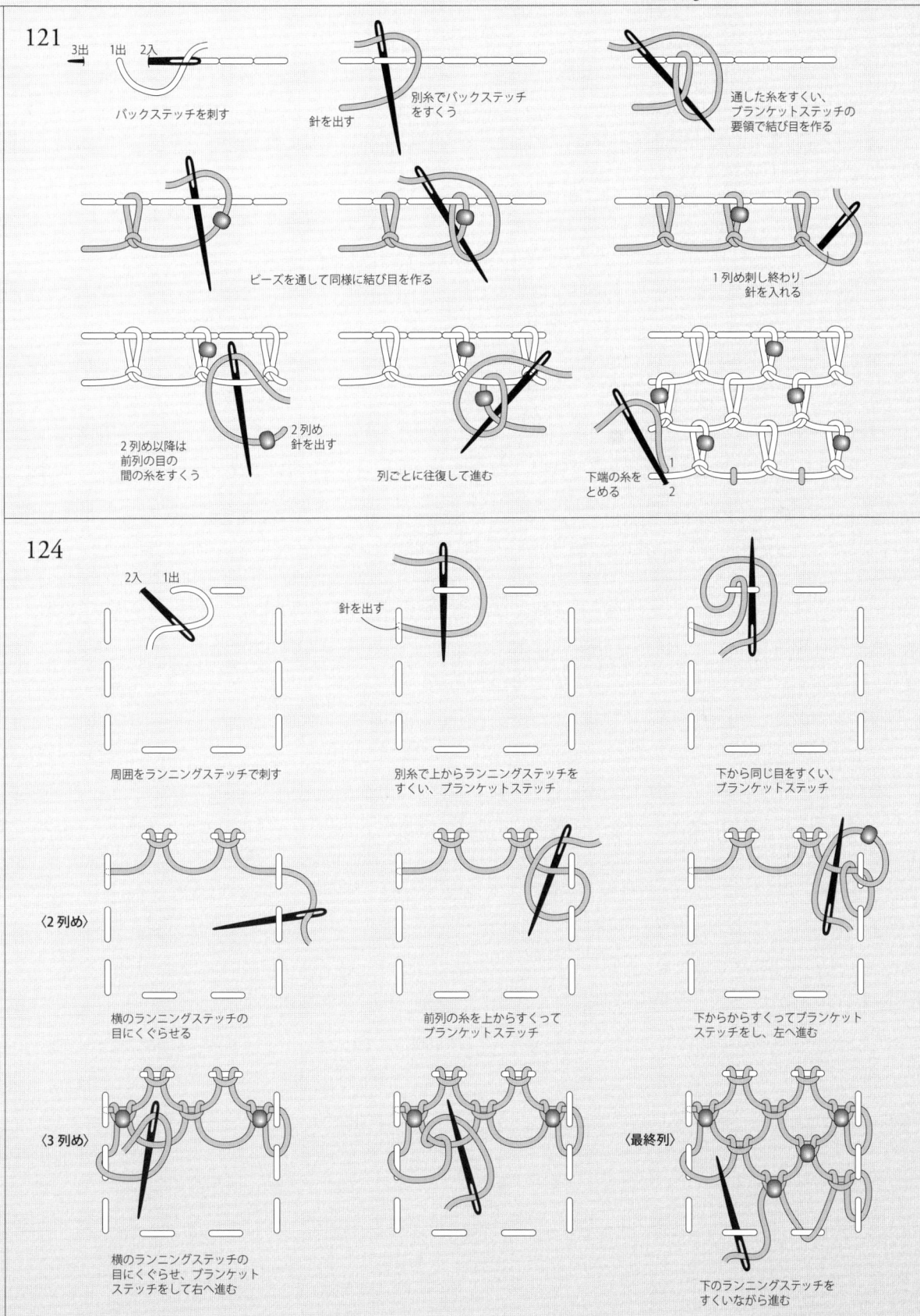

Filling Stitches with Beads (121・124)

121

3出 1出 2入

バックステッチを刺す

針を出す

別糸でバックステッチ
をすくう

通した糸をすくい、
ブランケットステッチの
要領で結び目を作る

ビーズを通して同様に結び目を作る

1列め刺し終わり
針を入れる

2列め以降は
前列の目の
間の糸をすくう

2列め針を出す

列ごとに往復して進む

下端の糸を
とめる

124

2入 1出

周囲をランニングステッチで刺す

別糸で上からランニングステッチを
すくい、ブランケットステッチ

下から同じ目をすくい、
ブランケットステッチ

〈2列め〉

横のランニングステッチの
目にくぐらせる

前列の糸を上からすくって
ブランケットステッチ

下からからすくってブランケット
ステッチをし、左へ進む

〈3列め〉

横のランニングステッチの
目にくぐらせ、ブランケット
ステッチをして右へ進む

〈最終列〉

下のランニングステッチを
すくいながら進む

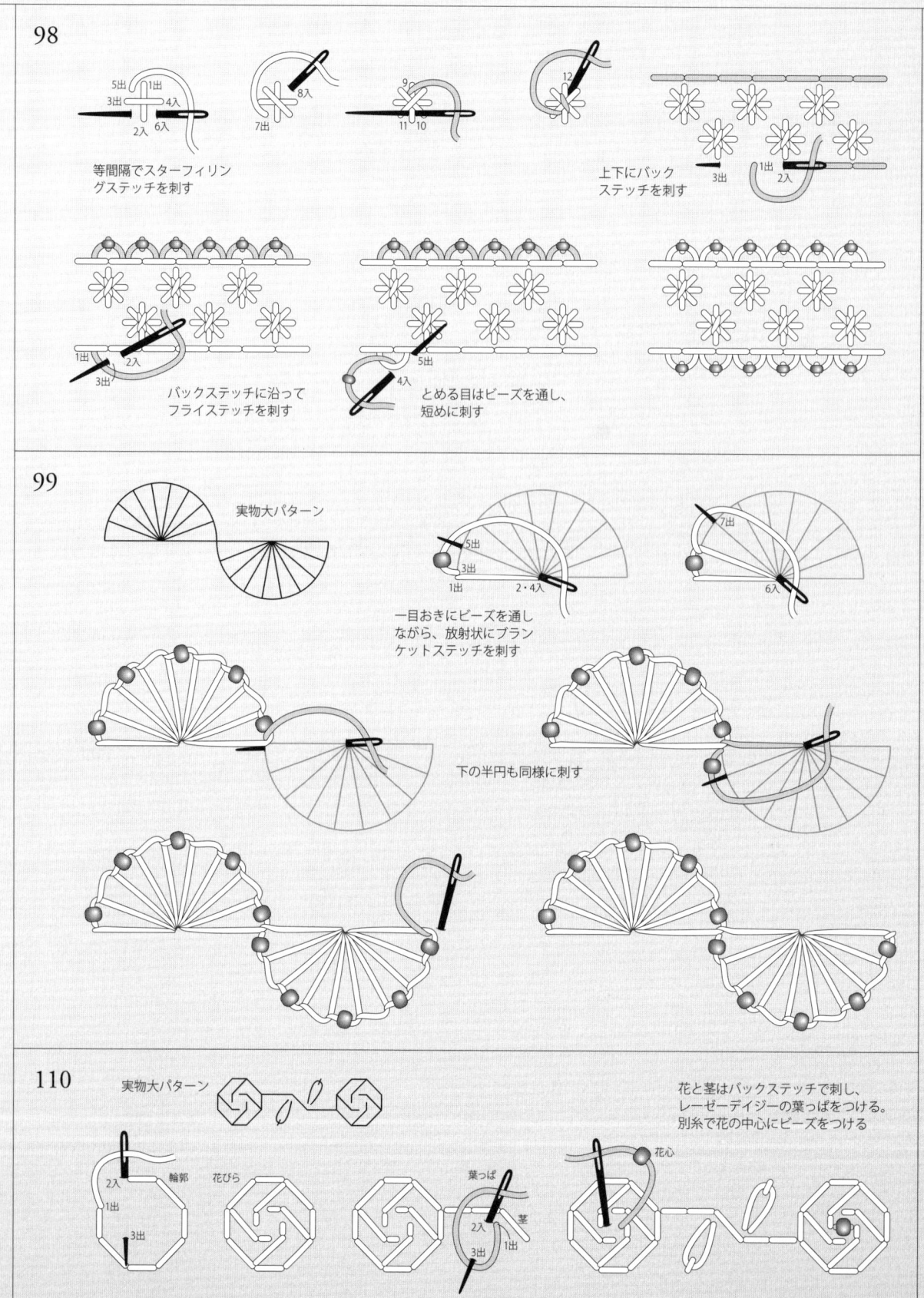

Lace Motif with Beads (98・99・110)

98

等間隔でスターフィリングステッチを刺す

上下にバックステッチを刺す

バックステッチに沿ってフライステッチを刺す

とめる目はビーズを通し、短めに刺す

99

実物大パターン

一目おきにビーズを通しながら、放射状にブランケットステッチを刺す

下の半円も同様に刺す

110

実物大パターン

花と茎はバックステッチで刺し、レーゼーデイジーの葉っぱをつける。別糸で花の中心にビーズをつける

輪郭　花びら　葉っぱ　茎　花心

82

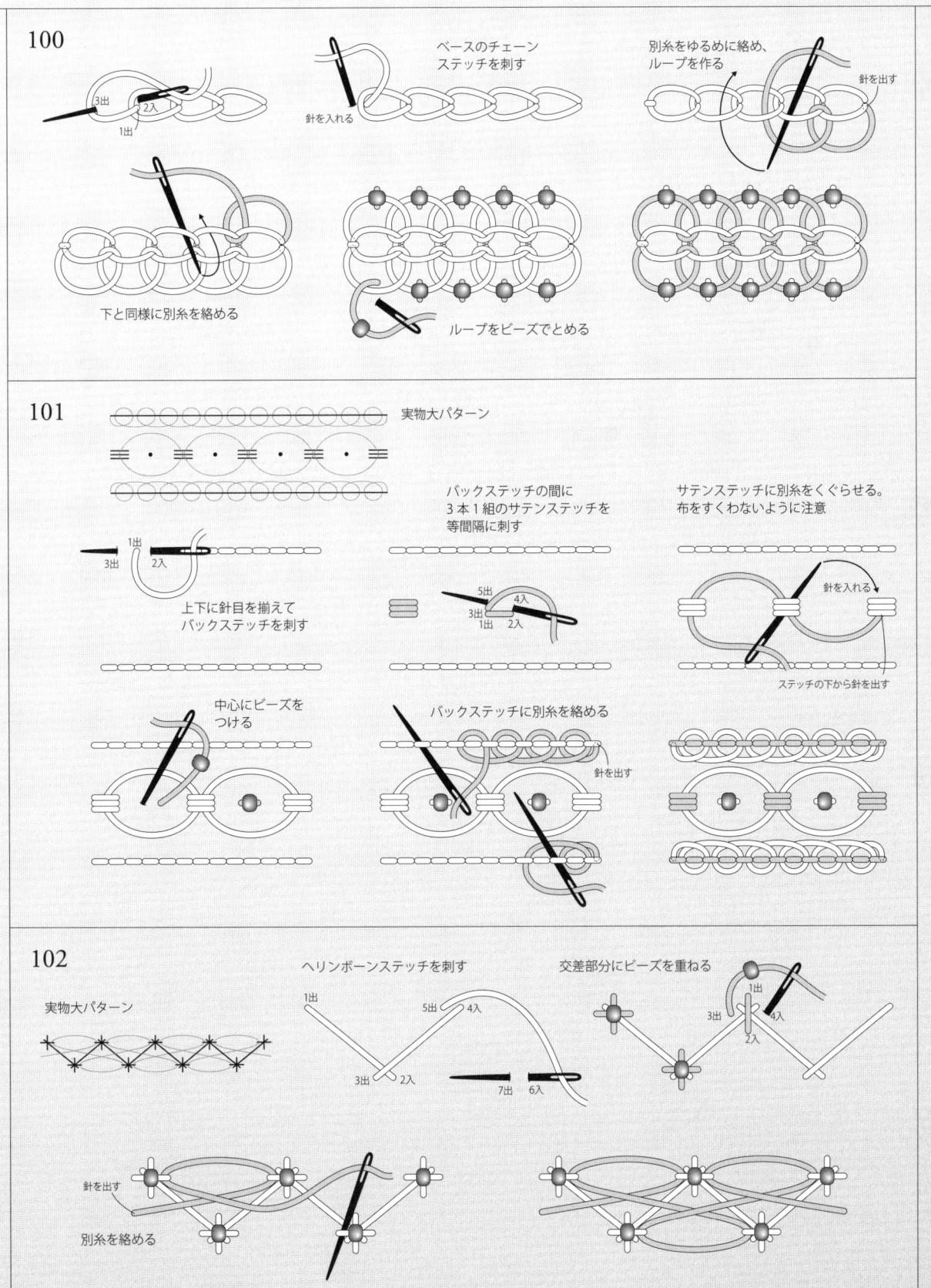

Lace Motif with Beads (100〜102)

100

- 3出 2入 1出
- ベースのチェーンステッチを刺す
- 針を入れる
- 別糸をゆるめに絡め、ループを作る
- 針を出す
- 下と同様に別糸を絡める
- ループをビーズでとめる

101

実物大パターン

- 1出 3出 2入
- 上下に針目を揃えてバックステッチを刺す
- 5出 3出 4入 1出 2入
- バックステッチの間に3本1組のサテンステッチを等間隔に刺す
- サテンステッチに別糸をくぐらせる。布をすくわないように注意
- 針を入れる
- ステッチの下から針を出す
- 中心にビーズをつける
- バックステッチに別糸を絡める
- 針を出す

102

実物大パターン

- ヘリンボーンステッチを刺す
- 1出 5出 4入 3出 2入 7出 6入
- 交差部分にビーズを重ねる
- 1出 3出 4入 2入
- 針を出す
- 別糸を絡める

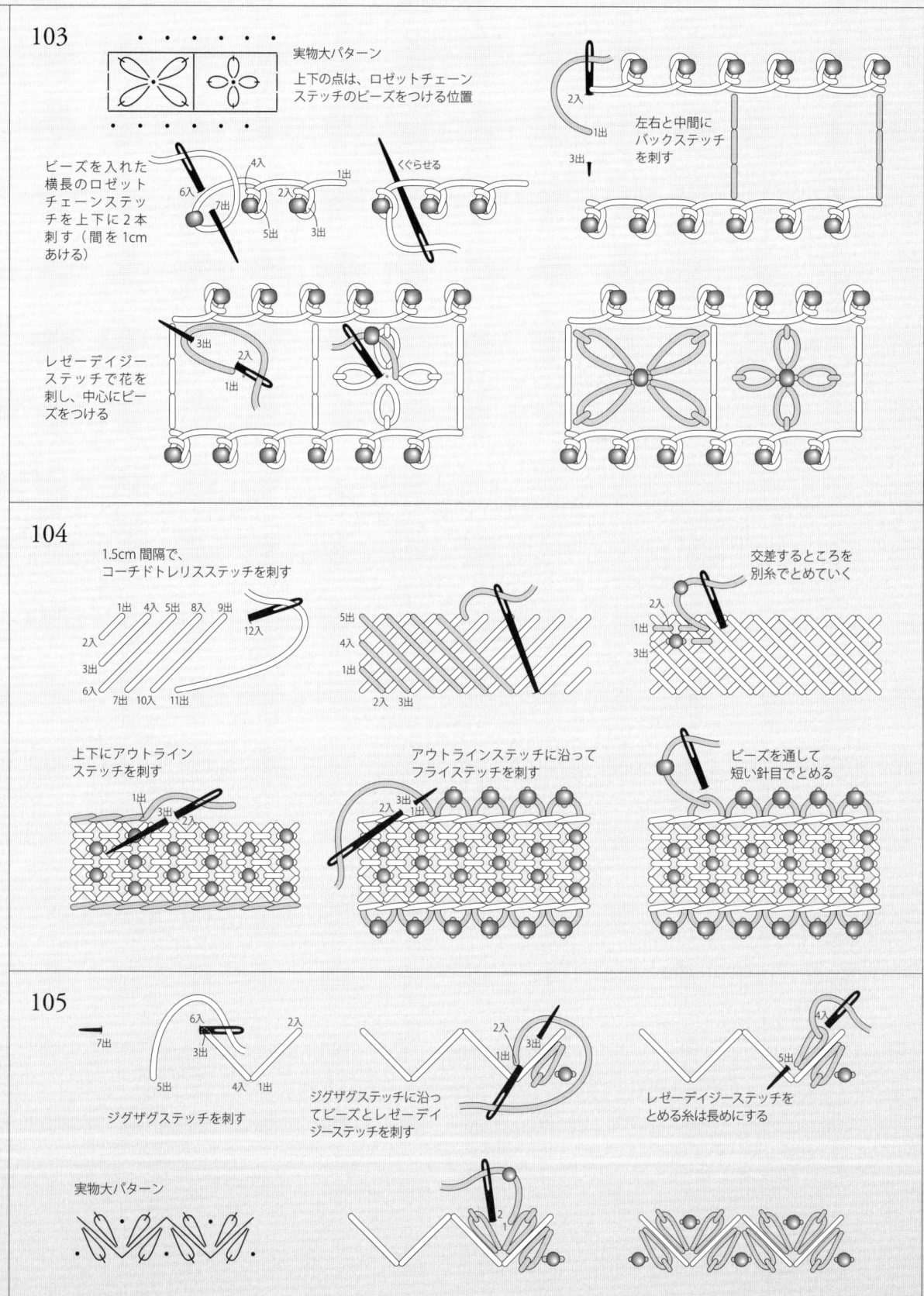

Lace Motif with Beads (103～105)

103

実物大パターン
上下の点は、ロゼットチェーン
ステッチのビーズをつける位置

ビーズを入れた
横長のロゼット
チェーンステッ
チを上下に2本
刺す（間を1cm
あける）

1出 2入 3出 4入 5出 6入 7入

くぐらせる

左右と中間に
バックステッチ
を刺す

1出 2入 3出

レゼーデイジー
ステッチで花を
刺し、中心にビー
ズをつける

1出 2入 3出

104

1.5cm 間隔で、
コーチドトレリスステッチを刺す

1出 4入 5出 8入 9出
2入 12入
3出
6入 7出 10入 11出

1出 2入 3出 4入 5出

交差するところを
別糸でとめていく

1出 2入 3出

上下にアウトライン
ステッチを刺す

1出 2入 3出

アウトラインステッチに沿って
フライステッチを刺す

1出 2入 3出

ビーズを通して
短い針目でとめる

105

1入 2入 3出 4入 5出 6入 7出

ジグザグステッチを刺す

1入 2入 3出

ジグザグステッチに沿っ
てビーズとレゼーデイ
ジーステッチを刺す

4入 5出

レゼーデイジーステッチを
とめる糸は長めにする

実物大パターン

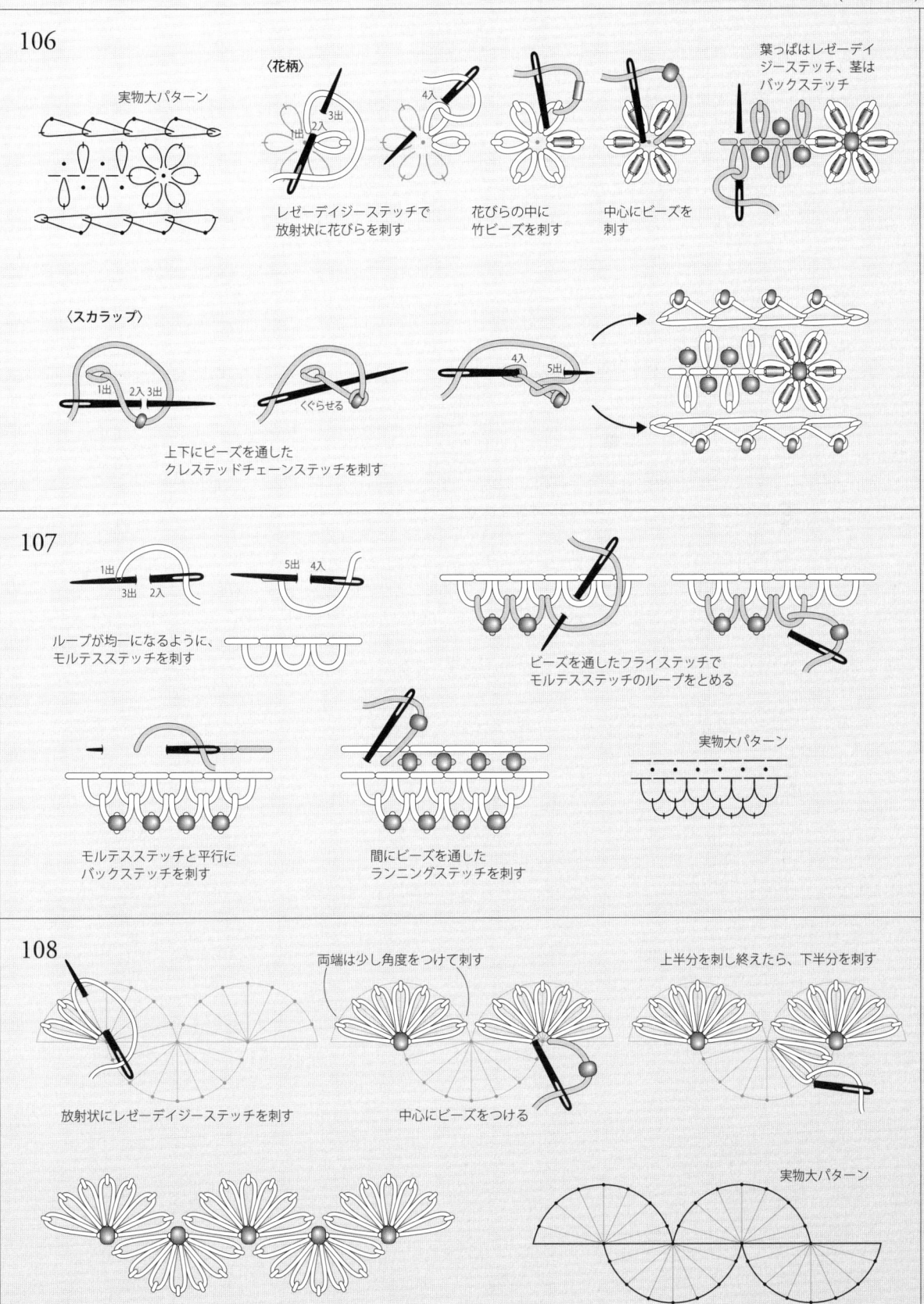

Lace Motif with Beads (106〜108)

106

実物大パターン

〈花柄〉

1出 2出 3出 4入

レゼーデイジーステッチで放射状に花びらを刺す

花びらの中に竹ビーズを刺す

中心にビーズを刺す

葉っぱはレゼーデイジーステッチ、茎はバックステッチ

〈スカラップ〉

1出 2入 3出　くぐらせる　4入 5出

上下にビーズを通したクレステッドチェーンステッチを刺す

107

1出 2入 3出　4入 5出

ループが均一になるように、モルテスステッチを刺す

ビーズを通したフライステッチでモルテスステッチのループをとめる

モルテスステッチと平行にバックステッチを刺す

間にビーズを通したランニングステッチを刺す

実物大パターン

108

両端は少し角度をつけて刺す

上半分を刺し終えたら、下半分を刺す

放射状にレゼーデイジーステッチを刺す

中心にビーズをつける

実物大パターン

Lace Motif with Beads (109・111)

109

上下に、ビーズを入れたツイステッド
ジグザグチェーンステッチを刺す

中心のビーズ
を刺す

横から針を出し、
ビーズ6粒を通し
て針を戻す

コーチング
ステッチの要領で
2～3カ所とめる

チェーンステッチ

レゼーデイジー
ステッチ

実物大
パターン

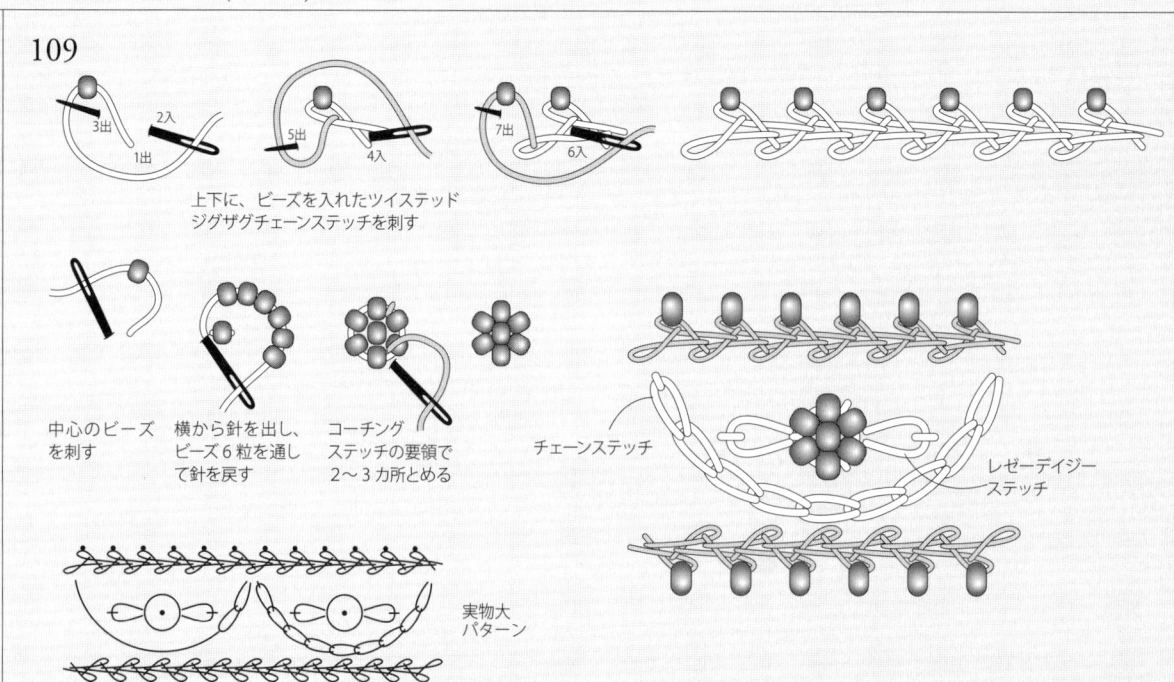

111

クロスステッチチャート

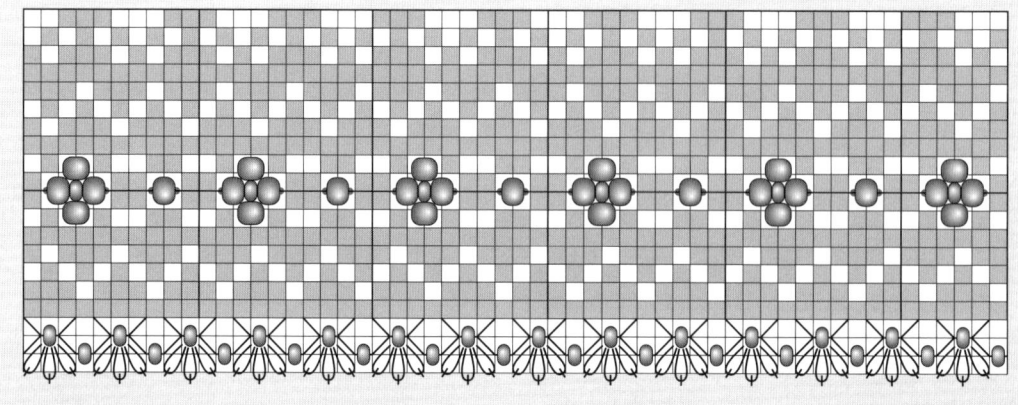

〈中央の花〉

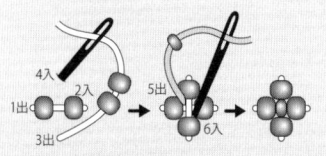

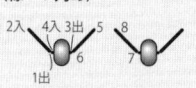

〈縁・1列め〉
半返し縫いの要領で
ビーズを通しながら刺す

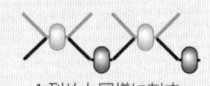

〈縁・2列め〉
1列めと同様に刺す

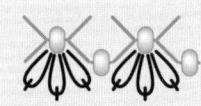

〈縁・3列め〉
中央のレゼーデイジーステッチ
から刺すとバランスよく刺せる

Point

お手入れするときは…

かわいいビーズの刺繡をしたあと
は、長く大切に使いたいもの。ベー
スの生地やビーズの取り扱いに注
意してお手入れしましょう。

● 洗濯する際は、ビーズがついて
いる面を内側にしてやさしく手洗
いします。洗濯機を使う場合は、
洗濯ネットに入れましょう。
● 干すときは、ビーズを内側にし
たまま陰干しすると、ビーズの退
色を防げます。

● ビーズやスパングル
にも、いろいろ種類が
あり、洗濯に向かない
ものもあります。取り
扱いの注意をよく読ん
でから使いましょう！

One Pint Motif with Beads (125〜130)

125
実物大パターン

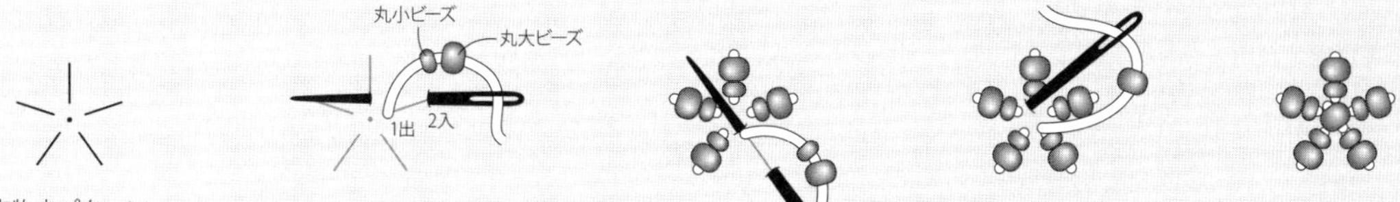

丸小ビーズ / 丸大ビーズ
内側から外側に向かって放射状にストレートステッチ

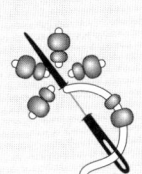

中心に丸大ビーズの花心を刺す

126
実物大パターン

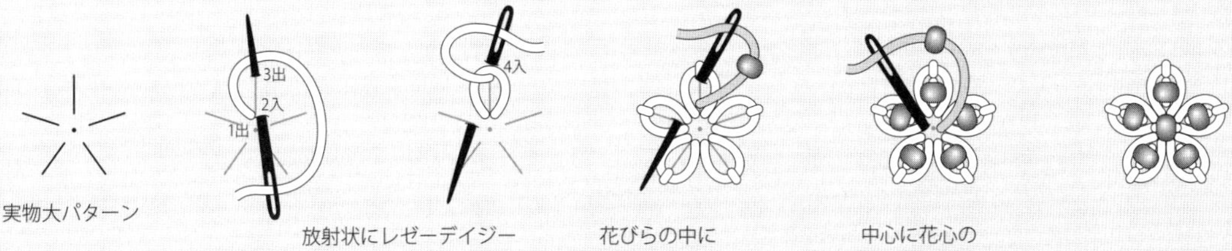

放射状にレゼーデイジーステッチの花びらを刺す

花びらの中にビーズを刺す

中心に花心のビーズを刺す

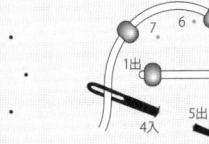

127
実物大パターン

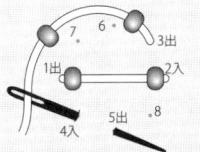

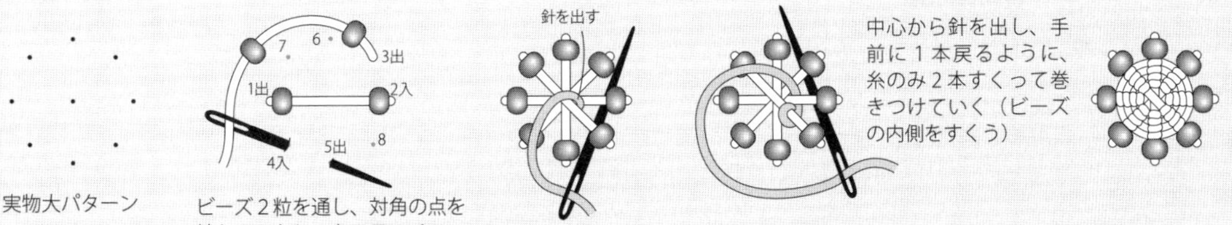

ビーズ2粒を通し、対角の点を結んでストレートステッチ

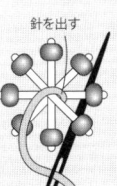

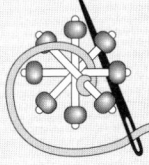

針を出す

中心から針を出し、手前に1本戻るように、糸のみ2本すくって巻きつけていく（ビーズの内側をすくう）

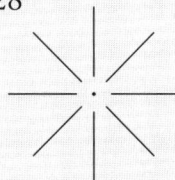

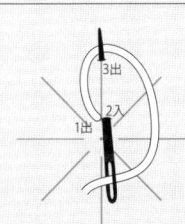

128
実物大パターン

放射状にレゼーデイジーステッチの花びらを刺す

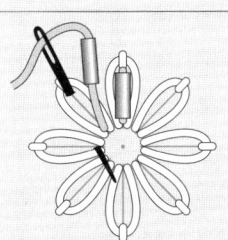

花びらの内側に竹ビーズを刺す

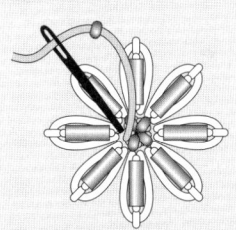

中心にビーズを刺し埋める

129
実物大パターン

中心のスパングルをビーズでとめる

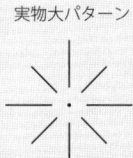

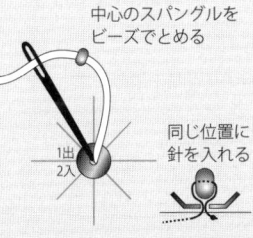

同じ位置に針を入れる

外側から中心へ向かって、竹ビーズを十字に刺し、間に竹ビーズ＋丸小ビーズを刺す

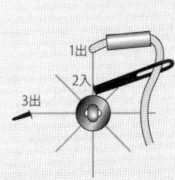

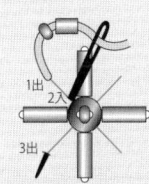

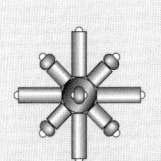

130
実物大パターン

中心のスパングルをビーズでとめる

放射状に竹ビーズをつける

スパングルをビーズでとめる

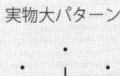

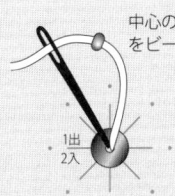

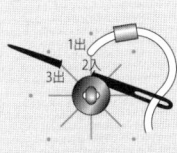

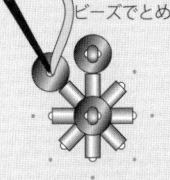

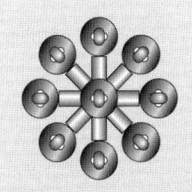

C·R·K design シーアールケイデザイン

グラフィック＆クラフトデザイナー：北谷千顕・江本薫・今村クマ・遠藤安子・矢島久美子・吉植のり子による6人のユニット。自由な発想の手づくりアイデアは無限大。企画・作品制作、ブックデザイン・編集、撮影ディレクション・コーディネートまで幅広く活動中！　著書に「ビーズの縁飾り Vol.1～3」「着物のふるさと 染め織り巡り」「はじめてのビーズリメイク」「はじめて作る粘土の小もの スイーツ＆雑貨マルシェ」(共にグラフィック社) がある。「ビーズの縁飾り」は海外でも出版。
http://www.crk-design.com/　ブログ http://crkdesign.blog61.fc2.com/

遠藤安子　YASUKO ENDO

女子美術短期大学服飾科卒業。アパレルメーカー企画を経てフリーランスに。C・R・K designでは、主に手芸作品や雑貨などを制作。着物や古布の美しさに目覚め、和裁を修行中。日本の伝統的な手づくりに興味を持ち、江戸の粋を表現した和の刺繍図案なども考案中。

ビーズがかわいい刺繍ステッチ

2011年 8月25日　初版第 1 刷発行
2023年11月25日　初版第13刷発行

著者　CRK DESIGN, YASUKO ENDO
発行者　西川正伸
発行所　株式会社グラフィック社
　　　　〒102-0073 東京都千代田区九段北 1-14-17
　　　　Tel.03-3263-4318　Fax.03-3263-5297
　　　　http://www.graphicsha.co.jp
　　　　振替　00130-6-114345
印刷製本　図書印刷株式会社

©2011 CRK DESIGN, YASUKO ENDO
ISBN978-4-7661-2266-4 C2077
Printed in Japan

落丁・乱丁本はお取り替え致します。
本書の記載内容の一切について無断転載、転写、引用を禁じます。本書のコピー、スキャン、デジタル化等の無断複製は著作権法上の例外を除き禁じられています。本書を代行業者等の第三者に依頼してスキャンやデジタル化することは、たとえ個人や家庭内での利用であっても著作権法上認められておりません。

ステッチに使用した糸とビーズの一覧

- DMC 刺繍糸の取扱店については、ディー・エム・シー株式会社までお問い合わせください。
  Tel.03-5296-7831　平日 9：30 ～ 17：30（土・日・祭日は休み）
- トーホービーズの取扱店については、最寄りの営業所までお問い合わせください。
  トーホー株式会社本社 Tel.082-237-5151／東京営業所 Tel.03-3862-8548／大阪営業所 Tel.06-6453-1782
  平日 9：00 ～ 17：00（土・日・祭日は休み）
  ★トーホービーズ オンラインショップ　http://www.beadsmarket.net

サンプラーに使用した材料をご紹介。stitch design、使用糸（番手・色番号と色の目安・本数）、使用ビーズ（種類・色番号と色の目安）の順に記載しています。
刺繍糸はすべて DMC、ビーズはトーホービーズの色番号に対応しています。

P.16 Running Stitch

1　5番 3689（ピンク）／丸大 919（青）・905（ピンク）・901（黄）・943（淡紫）
2　5番 3689（ピンク）／丸大 919（青）・905（ピンク）・901（黄）・173（黄緑）
3　5番 ECRU（生成）／丸大 167（緑）・401（白）・405（赤）・402（黄）・942（紺）・403（青）・174（オレンジ色）
4　5番 3689（ピンク）／丸大 919（青）・905（ピンク）・901（黄）・943（淡紫）
5　[上] 5番 800（水色）／丸大 919（青）
　　[下] 5番 3689（ピンク）／丸大 905（ピンク）
6　5番 471（緑）／丸大 173（黄緑）

P.20 Straight Stitch

7　5番 517（青）／丸大 405（赤）
8　5番 905（緑）／丸大 174（オレンジ色）
9　5番 972（黄）／丸大 165（赤）・167（緑）
10　5番 321（赤）／丸大 22（金）
11　5番 905（緑）／丸大 405（赤）
12　5番 3350（濃ピンク）／丸大 905（ピンク）
13　25番 721（オレンジ色・4本どり）／丸大 163（青）・165（赤）・167（緑）・174（オレンジ色）

P.22 Back/Pekinese Stitch

14　5番 321（赤）／丸大 109（赤）・174（オレンジ色）・175（黄）・264（青緑）・22（金）
15　5番 321（赤）・841（ベージュ）／丸大 175（黄）・174（オレンジ色）・109（赤）・264（青緑）・170（淡青）
16　5番 321（赤）・841（ベージュ）／丸大 22（金）
17　5番 321（赤）・841（ベージュ）／丸大 405（赤）
18　5番 321（赤）・841（ベージュ）／丸大 557（金）
19　5番 321（赤）・841（ベージュ）／丸大 173（淡緑）・175（黄）・174（オレンジ色）・109（赤）・264（青緑）
20　25番 321（赤・3本どり）／丸小 165（赤）・23（水色）・164（黄緑）・175（黄）・191c（ピンク）・174（オレンジ色）・163（青）・101（クリア）・938（濃青）・558（白金）

P.24 Outline/Holbein Stitch

21　5番 841（ベージュ）／丸大 105（黄緑）・402（黄）・174（オレンジ色）・125（赤）・331（濃赤）
22　5番 841（ベージュ）／丸大 174（オレンジ色）・402（黄）・105（黄緑）・125（赤）
23　5番 841（ベージュ）／丸大 105（黄緑）・402（黄）・174（オレンジ色）・125（赤）・331（濃赤）
24　5番 972（黄）／丸大 167（緑）
25　5番 905（緑）／丸大 174（オレンジ色）・405（赤）
26　5番 841（ベージュ）／丸大 331（濃赤）・402（黄）・174（オレンジ色）
27　5番 321（赤）／丸大 174（オレンジ色）・167（緑）

P.26 Blanket/Buttonhole Stitch

28　25番 3013（若草色・4本どり）／丸大 557（金）
29　25番 3013（若草色・4本どり）／丸大 173（淡緑）・105（黄緑）・557（金）
30　25番 3013（若草色・4本どり）／丸大 407（緑）
31　25番 3023（淡灰緑・4本どり）／丸大 164（黄緑）
32　25番 3013（若草色・4本どり）／丸小 402（黄）・一分竹 7（黄）・二分竹 111（濃黄）
33　25番 3032（オリーブ色・4本どり）／丸大 167（緑）・407（緑）・402（黄）・557（金）
34　25番 3032（オリーブ色・4本どり）／丸大 402（黄）

P.30 Lazy Daisy Stitch

35　25番 899（ピンク・4本どり）／丸大 906（ピンク）
36　25番 3805（濃ピンク・4本どり）・5番 ECRU（生成）／丸大 557（金）
37　25番 3607（紫ピンク・4本どり）／丸小 558（白金）
38　25番 3805（濃ピンク・4本どり）／丸小 332（赤紫）
39　25番 899（ピンク・3本どり）／丸小 557（金）
40　25番 3607（紫ピンク・3本どり）／丸大 264（青緑）
41　25番 3805（濃ピンク・3本どり）／丸大 558（白金）

P.32 Chain Stitch

42　25番 326（濃ピンク・4本どり）／丸大 558（金）
43　25番 550（紫・4本どり）／丸大 191c（ピンク）
44　25番 208（紫・3本どり）／丸大 264（青緑）
45　25番 917（ピンク・3本どり）／丸大 558（白金）
46　25番 554（淡紫・4本どり）／丸小 107（青）・170（淡青）・105（黄緑）・104（水色）・252（紫）・558（白金）
47　25番 554（淡紫・4本どり）／丸大 943（淡紫）・977（薄紫）・252（紫）
48　25番 209（薄紫・4本どり）／丸大 559（金）・252（紫）・977（薄紫）

P.34 Cross Stitch

49　25番 3765（青・3本どり）／丸小 405（赤）
50　25番 3765（青・3本どり）・3865（白・3本どり）／丸小 22（金）・332（赤紫）
51　25番 3765（青・4本どり）・3865（白・4本どり）／丸大 558（白金）
52　25番 3765（青・4本どり）／丸小 557（金）
53　25番 3765（青・4本どり）／丸小 165（赤）
54　25番 3865（白・3本どり）／丸大 332（赤紫）・丸大 559（金）
55　25番 3765（青・4本どり）／丸大 558（金）

P.36 Chevron/Herringbone Stitch

56　25番 BLANC（白・4本どり）／丸大 148（クリーム色）
57　25番 ECRU（生成・4本どり）／丸小 401（白）・丸大 148（クリーム色）
58　25番 738（ベージュ・4本どり）・BLANC（白・4本どり）／丸大 401（白）
59　25番 BLANC（白・4本どり）／丸大 148（クリーム色）
60　25番 738（ベージュ・4本どり）・ECRU（生成・4本どり）／丸大 401（白）
61　25番 BLANC（白・4本どり）・E3821（金・3本どり）／丸大 401（白）・148（クリーム色）・557（金）
62　25番 BLANC（白・4本どり）・738（ベージュ・4本どり）・E3821（金・3本どり）／丸大 401（白）・148（クリーム色）・557（金）